Student Book

Level C

Double R Publishing, LLC

Author and Project Director:
Raquel Reyes

Co Authors:
Silvia Diez, Aida Fernández

Illustrations:
Mercedes Chávez

Graphic Designer:
María Artola

¡Muy bien! Student Book Level C
ISBN 0-9713381-9-1

Revised Edition 2007

Manufactured in the
United States of America.

Double R Publishing, LLC.

Distributed by:
ABC'S Book Supply, Inc.
7301 West Flagler Street
Miami, Fl. 33144
305-262-4240
Toll Free 1-877-262-4240
email:abcsbook@abcsbook.com

Contenido

¿Cómo se sienten?

contento/bien

así, así

triste/mal

¿Cómo está Pepe?

sorprendido

preocupado

asustado

enojado

Aprendo nuevas palabras

¿Cómo estoy?

Estoy **contento.**

Estoy **sorprendido.**

Estoy **enojado.**

Estoy **bien.**

Estoy **mal.**

Estoy **asustada.**

Estoy **triste.**

Estoy **así, así.**

Estoy **preocupada.**

Estoy . . .

¿Cómo está él?
¿Cómo está ella?

Ella está **contenta.**

Él está **preocupado.**

Él está **triste.**

Ella está **enojada.**

Ella está **bien.**

Él está **asustado.**

Ella está **así, así.**

Él está **sorprendido.**

Él está **mal.**

Él está . . .

Ella está . . .

Practico las palabras

¿Cómo estás?

Te gustaría saber . . . que en algunos países de América Latina, los amigos se saludan con un fuerte abrazo como muestra de alegría. En otros lugares se besan una, dos y hasta tres veces en las mejillas.

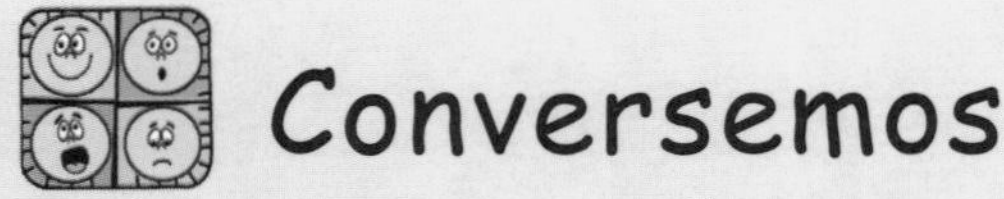

Conversemos

Diálogo 1

Omar: ¡Hola amigos!
Todos: ¡Hola!
Niño 1: ¿Cómo estás Omar?
Omar: Estoy así, así ¿y tú?
Niño 1: Estoy bien, gracias.
Omar: ¿Cómo está tu mamá?
Niño 1: Ella está contenta.
Omar: ¿Cómo está tu hermana?
Niño 1: Ella está triste.
Omar: Adiós.
Niño 1: Hasta luego.

Diálogo 2

Niño 1: ¿Dónde está Ana?
Niño 2: Ana está en la playa.
Niño 1: ¿Cómo está ella?
Niño 2: Ella está contenta.
Niño 1: ¿Dónde está Tomás?
Niño 2: Él está en el zoológico.
Niño 1: ¿Cómo está él?
Niño 2: Él está asustado. Hay muchos animales.
Niño 1: ¿Qué animales hay?
Niño 2: Hay una jirafa, un mono, un oso y un león en la jaula.
Niño 1: ¡Qué divertido!

Vamos a leer

El parque de diversiones

Me llamo Ramón y estoy muy contento porque voy a ver a mii amigo Juan. Él está en el parque de diversiones. En el parque de diversiones hay una estrella, un carrusel y una montaña rusa. Juan quiere montar en la montaña rusa pero yo estoy muy asustado. Yo quiero montar en el carrusel es más divertido.

1. ¿Cómo se llaman los personajes del cuento?
2. ¿Cómo está Ramón?
3. ¿Por qué está Ramón contento?
4. ¿Dónde está Juan?
5. ¿Qué hay en el parque de diversiones?
6. ¿Qué quiere montar Juan?
7. ¿Cómo está Ramón?
8. ¿Qué quiere montar Ramón?
9. ¿Por qué quiere montar Ramón en el carrusel?

 Un nuevo año escolar

¿Qué es esto?

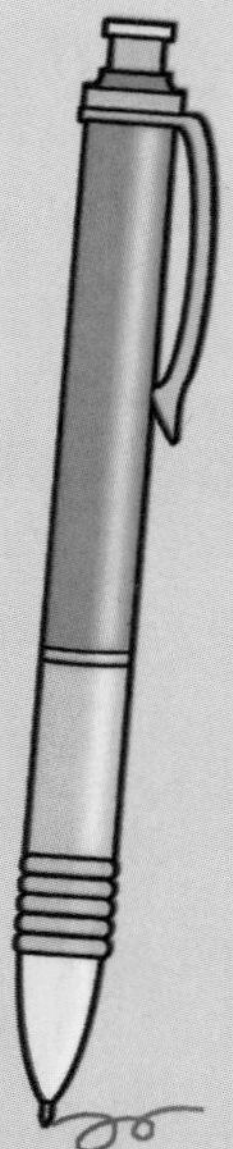

bolígrafo

borrador

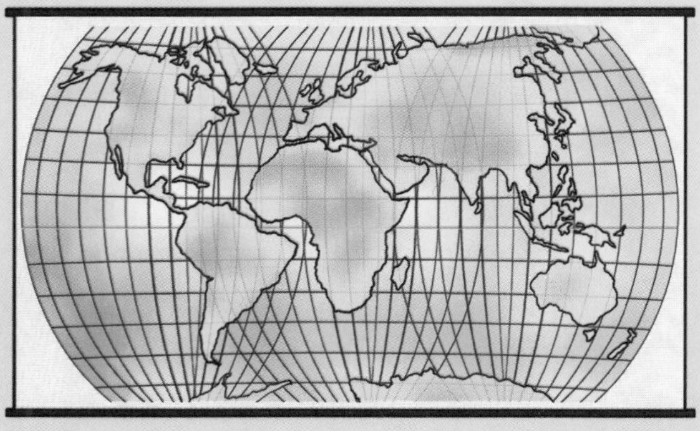

mapa

cesto

bandera

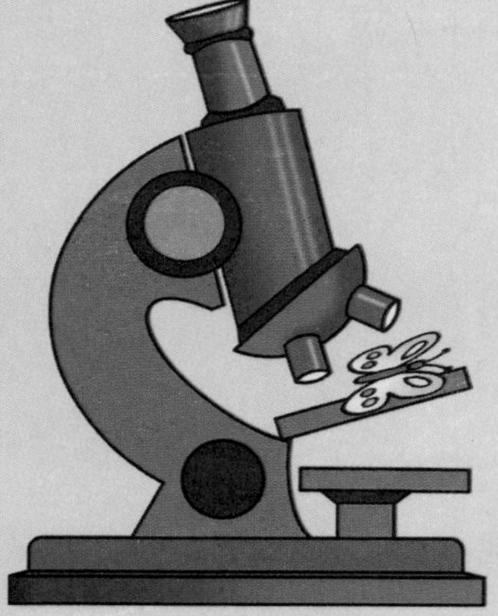

microscopio

globo terráqueo

Voy a la clase de ciencias.

Voy a la clase de estudios sociales.

¿Adónde vas?

Aprendo nuevas acciones

estudiar	mirar	enseñar

Yo estudi**o**
Yo mir**o**
Yo enseñ**o**

Ella estudi**a**
Ella mir**a**
Ella enseñ**a**

Él estudi**a**
Él mir**a**
Él enseñ**a**

Yo estudi**o** ciencias.

Ella estudi**a** español.

Él estudi**a** la lección.

Yo mir**o** el mono.

Ella mir**a** televisión.

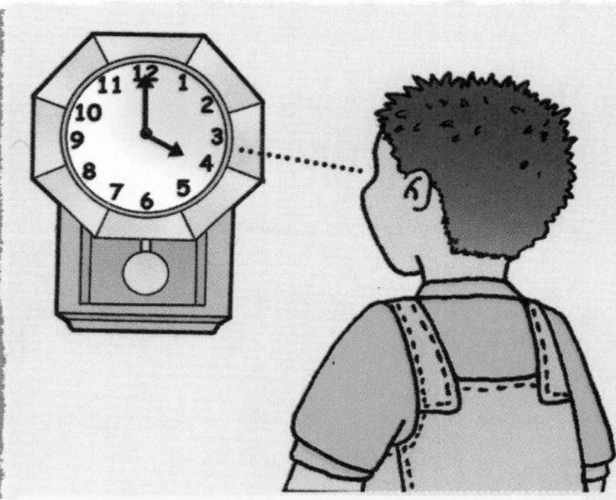

Él mir**a** el reloj.

Yo enseñ**o** ciencias.

Ella enseñ**a** español.

Él enseñ**a** la clase de arte.

Practico las acciones

1) Yo ______ la televisión.		miro mira
2) El maestro ______ ciencias todos los días.		enseño enseña
3) Teté ______ con sus amigos.		estudia estudio
4) Omar ______ el león en la jaula.		mira miro
5) Ella ______ los números del uno al treinta.		estudia estudio
6) Yo ______ los colores a mi hermana.		enseña enseño
7) Mi mamá ______ el juego de béisbol.		mira miro
8) Yo ______ todos los días de la semana.		estudio estudia
9) Ella ______ español a su amigo.		enseña enseño

Te gustaría saber . . . que al bolígrafo se le llama pluma, pues hace muchos años se usaba la pluma de ave para escribir.

 Practico las acciones

Yo voy a la escuela.

Él va al parque.

Ella va a la cafetería.

Yo voy al cumpleaños.

Maricela va a comer.

Omar va a la playa.

Yo voy a jugar béisbol.

Mamá va a mirar la televisión.

Mi papá va a leer.

Conversemos

Diálogo 1

Juan: ¿Cómo estás Ana?
Ana: Estoy bien y contenta.
Juan: ¿Por qué estás contenta?
Ana: Porque voy a la clase de ciencias.
Juan: ¿Tienes un microscopio?
Ana: No, no tengo. Hay muchos en la clase.
Juan: ¿Quién es la maestra de ciencias?
Ana: La maestra de ciencias es la señora Lamas.
Juan: A mi no me gusta la clase de ciencias, mi clase favorita es la clase de estudios sociales.
Ana: ¿Es interesante la clase de estudios sociales?
Juan: Sí, es interesante. Me gusta estudiar con el mapa y el globo terráqueo.

Diálogo 2

Tomás: Buenos días Lila.
Lila: Buenos días Tomás.
Tomás: ¿Cómo estás hoy?
Lila: Estoy muy contenta porque voy al campo.
Tomás: ¿Con quién vas al campo?
Lila: Voy con mi familia.
Tomás ¿Qué vas a hacer en el campo?
Lila: Voy a volar papalotes.
Tengo un papalote de muchos colores.
¿Te gusta el campo Tomás?
Tomás No, no me gusta. Me gusta ir a la playa.
Lila: ¿Qué vas a hacer en la playa?
Tomás: Voy a nadar en el mar y a jugar en la arena.
Lila: ¡Qué divertido!

Vamos a leer

Mi nuevo año escolar

Es el nuevo año escolar. Yo estoy muy contento porque voy a regresar a la escuela. Este año tengo muchas clases. El lunes por la mañana tengo la clase de ciencias y el miércoles por la tarde tengo la clase de estudios sociales. El salón de la clase de ciencias es muy grande. Tiene muchos pupitres, dos pizarras y muchos microscopios. El salón de la clase de estudios sociales es muy grande también. Allí no hay microscopios pero hay mapas y un globo terráqueo. Estas clases son muy interesantes.

1. ¿Cómo está el niño del cuento?
2. ¿Por qué está contento?
3. ¿Tiene muchas clases el niño?
4. ¿Qué clase tiene el lunes por la mañana?
5. ¿Qué clase tiene el miércoles por la tarde?
6. ¿Cómo es el salón de la clase de ciencias?
7. ¿Qué hay en el salón de la clase de ciencias?
8. ¿Cómo es el salón de la clase de estudios sociales?
9. ¿Que hay en el salón de la clase de estudios sociales?
10. ¿Cómo son las clases de ciencias y estudios sociales?

Canto y cuento en español

¿Qué es esto?

acuarela

flauta

pandereta

xilófono

pincel

caballete

Voy a la clase de arte.

Voy a la clase de música.

¿Adónde vas?

Aprendo nuevas palabras

¿Adónde vas?

Voy a la clase de arte.

Voy a la clase de música.

Voy a la clase de matemáticas.

Voy a la clase de español.

Te gustaría saber . . . que en algunos países de América Latina, el horario de clases es diferente al de los Estados Unidos. Los niños van a la escuela por la mañana después van a la casa a almorzar y regresan al mediodía para terminar su día escolar.

Aprendo nuevas acciones

pintar	tocar	cantar	hablar

Yo pint**o** una bandera.

Ella pint**a** con acuarela.

Él pint**a** una escuela.

Yo toc**o** la flauta.

Ella toc**a** la pandereta.

Él toc**a** el xilófono.

Yo cant**o** una canción.

Ella cant**a** bien.

Él cant**a** mal.

Yo habl**o** español.

Ella habl**a** español.

Él habl**a** español.

Cuento de diez en diez

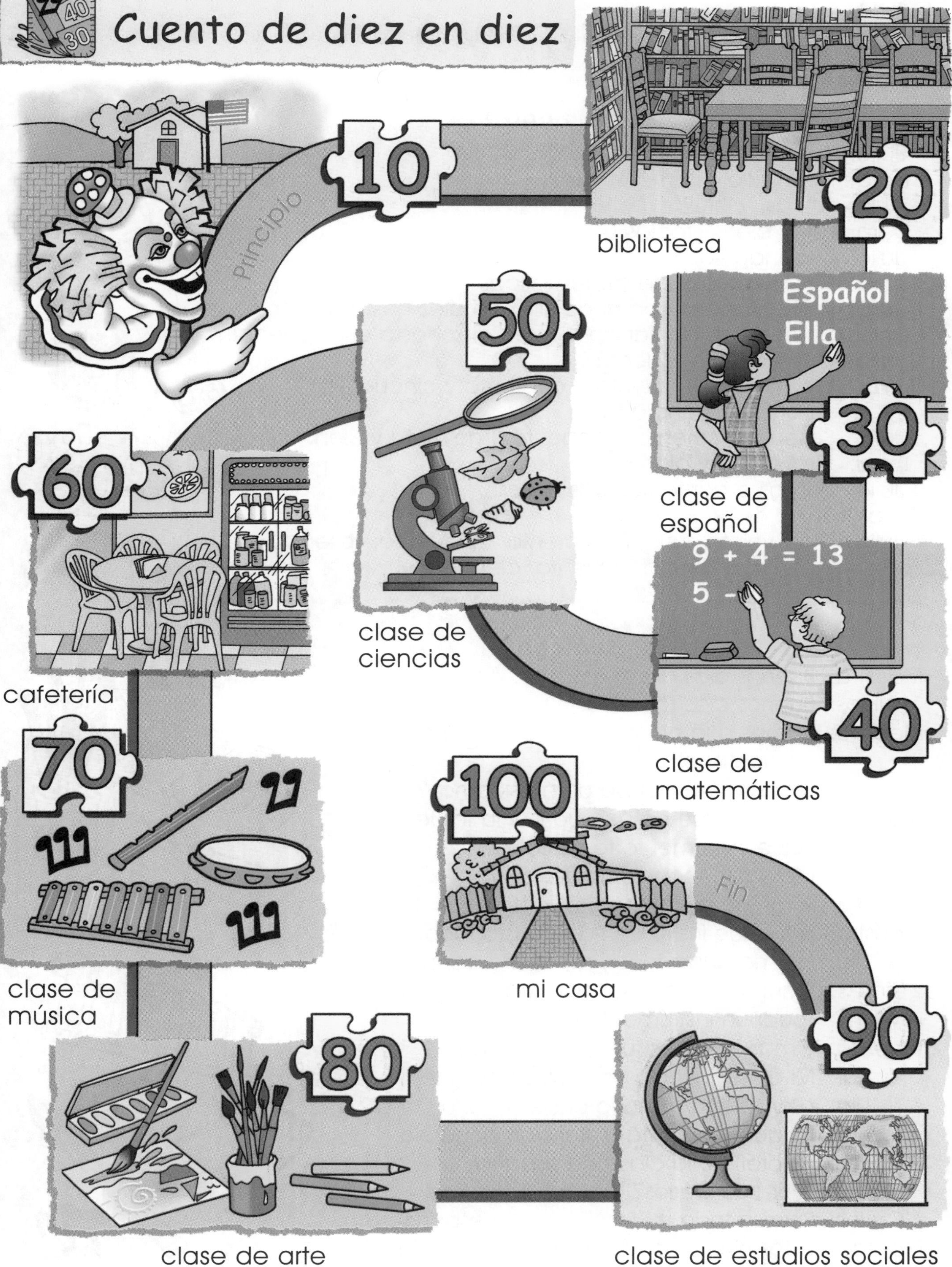

LECCIÓN 3

Conversemos

Diálogo 1

Julio: Buenas tardes, Dora.
Dora: Hola Julio ¿Cómo estás?
Julio: Así, así. ¿Y tú?
Dora: Estoy bien, gracias.
Julio: ¿Adónde vas?
Dora: Voy a la clase de matemáticas.
Julio: Dora ¿Puedes contar de diez en diez hasta el cien?
Dora: No, pero sé contar de diez en diez hasta el cincuenta.
Julio: Cuenta Dora, cuenta.
Dora: Diez... veinte... treinta... cuarenta y cincuenta. Julio, ¡sigue ahora tú!
Julio: Sesenta... setenta... ochenta... noventa y cien.
Dora: ¡Bravo! ¡Muy bien!
Julio: Vamos a contar los dos juntos.
Dora y Julio: Diez, veinte, treinta, cuarenta, cincuenta, sesenta, setenta, ochenta, noventa, cien.

Diálogo 2

Maestra: Buenos días alumnos.
Niños: Buenos días maestra.
Maestra: Vamos a la biblioteca. Hay clase de computadora.
Niño 1: Maestra ¿Hay clase de música hoy?
Maestra: Sí, hay clase de música por la tarde.
Niño 2: ¿Qué instrumento te gusta tocar?
Niño 1: Me gusta tocar la flauta.
Niño 3: A mí me gusta tocar el xilófono.
Maestra: Lila ¿Qué instrumento te gusta tocar?
Lila: No me gusta tocar, me gusta cantar.
Niño 3: Cantar es más fácil que tocar un instrumento.
Niño 1: Tocar un instrumento es difícil.
Maestra: Omar ¿Cuál es tu clase favorita?
Omar: Mi clase favorita es la clase de arte.
Lila: ¿Por qué te gusta la clase de arte Omar?
Omar: Porque me gusta pintar con acuarela.
Carlos: Yo prefiero la clase de español.
Omar: ¿Por qué Carlos?
Carlos: Porque toda mi familia habla español.
Maestra: Listos niños, ya va a empezar la clase.

Vamos a leer

Un día en la escuela

Hoy es lunes. Los alumnos están en la escuela. A las ocho van a la clase de arte. El maestro enseña a pintar con pincel y acuarela. También usan un caballete para poner el papel. A las nueve y media tienen clase de matemáticas. El maestro enseña a contar los números de diez en diez hasta cien. La clase de matemáticas es difícil pero interesante. Luego los alumnos van a la cafetería. Por la tarde van a la clase de música donde el maestro enseña a cantar y a tocar diferentes instrumentos. Omar toca la flauta y Lila toca la pandereta. En la clase de español la maestra lee libros muy interesantes de payasos y animales. ¡Cómo me gusta la escuela!

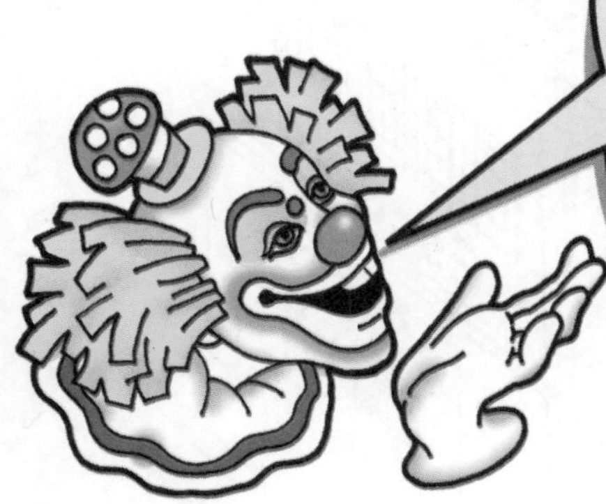

1. ¿Qué día es?
2. ¿Dónde están los alumnos?
3. ¿A qué hora es la clase de arte?
4. ¿Qué enseña el maestro de arte?
5. ¿A qué hora es la clase de matemáticas?
6. ¿Qué enseña el maestro de matemáticas?
7. ¿Después a dónde van los alumnos?
8. ¿Adónde van por la tarde?
9. ¿Qué enseña el maestro de música?
10. ¿Qué instrumento toca Omar?
11. ¿Qué instrumento toca Lila?
12. ¿Qué lee la maestra de español?
13. ¿Te gusta la escuela?

Un paseo por la ciudad

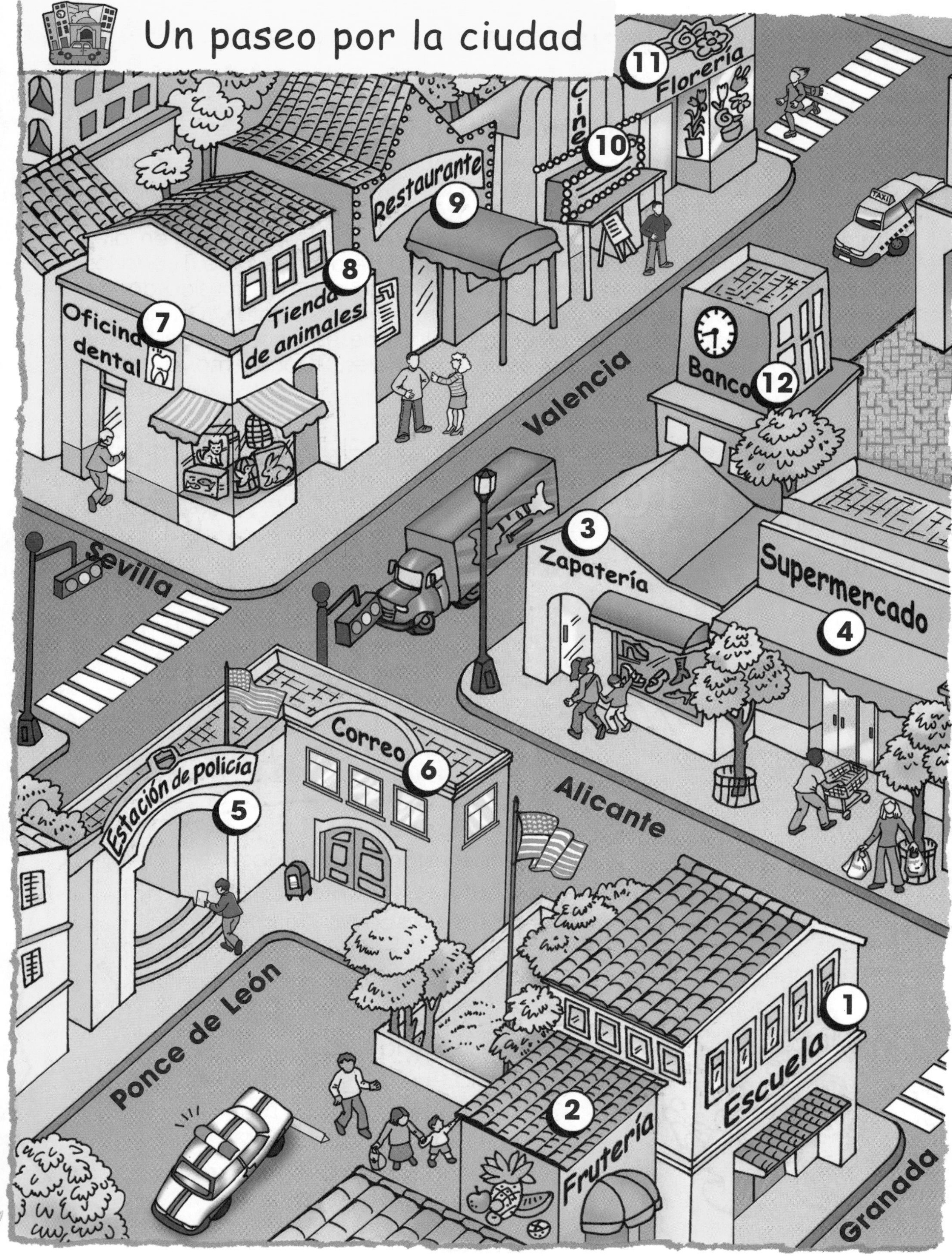

Aprendo nuevas palabras

1) Es la **escuela.**
La **escuela** está en la calle Granada.
Yo voy a la **escuela.**

2) Es la **frutería.**
La **frutería** está en la calle Granada también.
Mi mamá va a la **frutería.**

3) Es la **zapatería.**
La **zapatería** está en la calle Alicante.
Hay muchos zapatos en la **zapatería.**

4) Es el **supermercado.**
El **supermercado** está en la calle Alicante también.
El **supermercado** es grande.

5) Es la **estación de policía.**
La **estación de policía** está en la calle Ponce de León.
Hay una bandera en la **estación de policía.**

6) Es el **correo.**
El **correo** está en Ponce de León también.
El **buzón** está frente al **correo.**

7) Es la **oficina dental.**
La **oficina dental** está en la calle Sevilla.
Mi papá va a la **oficina dental.**

8) Es la **tienda de animales.**
La **tienda de animales** está en la calle Valencia.
Hay muchos animales en la **tienda.**

9) Es el **restaurante.**
El **restaurante** está en la calle Valencia.
Mi familia va al **restaurante.**

10) Es el **cine.**
El **cine** está en la calle Valencia también.
Yo voy al **cine** con mis amigos el domingo.

11) Es la **florería**.
La **florería** está en la calle Valencia.
Mi abuela va a la **florería**.

12) Es el **banco.**
El **banco** está en la calle Valencia.
Hay un reloj en el **banco**.

Te gustaría saber . . . que en algunas ciudades uno de los medios de transporte que más se usa es el autobús. En otros lugares de la América Latina al autobús se le llama guagua, ómnibus, bus, camión y camioneta.

Aprendo nuevas palabras

El globo terráqueo está **entre** la niña y el niño.

El reloj está a la **izquierda** de Lupe. El reloj está a la **derecha** de José.

El gato está **delante de** la butaca.

El gato está **detrás de** la butaca.

Aprendo nuevas acciones

caminar | **comprar** | **cruzar** | **visitar**

Yo camin**o** al cine.

Élla camin**a** a la escuela.

Él camin**a** al banco.

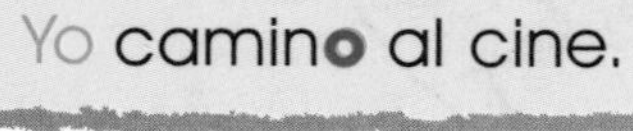

Yo compr**o** frutas.

Ella compr**a** flores.

Él compr**a** libros.

Yo cruz**o** la calle.

Ella cruz**a** la calle.

Él cruz**a** la calle.

Yo visit**o** a mi abuela.

Ella visit**a** a su amiga.

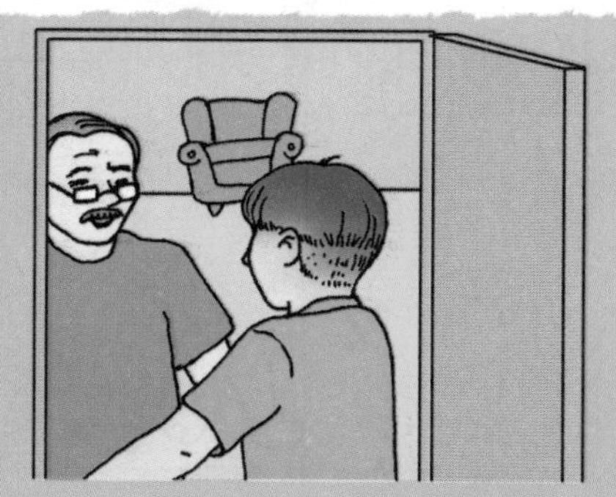

Él visit**a** a su abuelo.

Conversemos

Diálogo 1

Mamá: Ema, hoy vamos de paseo.
Ema: ¿Adónde vamos?
Mamá: Vamos a visitar la ciudad.
Ema: ¿En qué vamos?
Mamá: Vamos en autobús.
Ema: ¿A qué hora pasa el autobús?
Mamá: Pasa a las dos y media.
Ema: Voy a ponerme el vestido nuevo.
Mamá: ¡Apúrate Ema!
Ema: Estoy muy contenta. La ciudad es nueva para mí.

Diálogo 2

Ana: ¿Qué bonita es la ciudad? ¿Adónde vamos primero?
Mamá: Vamos a la zapatería.
Ana: ¿Dónde está?
Mamá Está en la calle Alicante al lado del supermercado.
Ana: Yo quiero visitar la tienda de animales también.
Mamá: ¿Qué vas a comprar?
Ana: Voy a comprar comida para mi perro. Mamá, ¿Dónde está la tienda de animales?
Mamá: Está en la calle Valencia al lado del restaurante.
Ana: ¡Mamá, quiero ir a la frutería!
Mamá: Yo también quiero ir, pero no se dónde está.
Ana: ¡Vamos a preguntar!

Otros lugares de la ciudad

1 Estación de bomberos

2 Hospital

3 Tienda de ropa

4 Farmacia

5 Panadería

6 Gasolinera

7 Parque

8 Carnicería

Barcelona

Málaga

San Fermín

Córdoba

TAXI

H

Rx

Aprendo nuevas palabras

1. Es la **estación de bomberos**.

   La **estación de bomberos** está en la calle Barcelona.

   La **estación de bomberos** está detrás del hospital.

   Mi papá va a la **estación de bomberos.**

2. Es el **hospital.**

   El **hospital** está en la calle San Fermín.

   El **hospital** está a la derecha de la carnicería.

   Mi mamá visita a su amiga en el **hospital.**

3. Es la **tienda de ropa.**
   La **tienda de ropa** está en la calle Málaga.
   La **tienda de ropa** está al lado de una casa de apartamentos.
   Mi abuela compra una blusa en la **tienda de ropa.**

4. Es la **farmacia.**
   La **farmacia** está en la calle Córdoba.
   La **farmacia** está entre la gasolinera y la panadería.
   Yo compro en la **farmacia**.

5. Es la **panadería**.
La **panadería** está en la calle Córdoba.
La **panadería** está a la derecha de la farmacia.
Mi abuelo camina a la **panadería.**

6. Es la **gasolinera**.
La **gasolinera** está en la calle Córdoba también.
La **gasolinera** está al lado de la farmacia.
Mi papá está en la **gasolinera**.

7. Es el **parque.**
El **parque** está en la ciudad.
El **parque** está detrás de la farmacia.
Yo juego en el **parque** con mis amigos.

8. Es la **carnicería.**
La **carnicería** está en la calle San Fermín.
La **carnicería** está a la izquierda del hospital.
La **carnicería** y el hospital están en la ciudad.

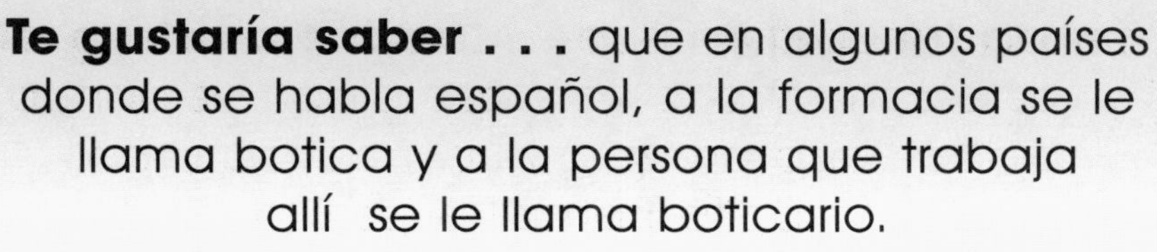

Te gustaría saber . . . que en algunos países donde se habla español, a la formacia se le llama botica y a la persona que trabaja allí se le llama boticario.

 Aprendo nuevas palabras

1. El libro azul está **junto** al libro rojo.

Inés está **lejos de** la escuela.

Inés está **cerca de** la escuela.

Ella está **después de** Ramón.

Aprendo nuevas palabras

Supermercado

1

Gasolinera

2

N

O

E

S

1. El supermercado está al **norte** de la escuela.
2. La gasolinera está al **este** del supermercado.
3. La escuela está al **sur** del supermercado.
4. La escuela está al **oeste** del parque.

5. La farmacia está al **norte** de la tienda de animales.
6. La zapatería está al **este** de la farmacia.
7. La tienda de animales está al **sur** de la farmacia.
8. La tienda de animales está al **oeste** del correo.

Conversemos

Diálogo 1

Nancy: ¿Dónde está tu escuela Luis?
Luis: Mi escuela está en la calle Granada al lado de la frutería.
Nancy: ¡Yo voy a esa escuela también! ¿Cómo vas a la escuela?
Luis: Yo camino por la calle Alicante paso por la zapatería y el supermercado. En la calle Granada a la derecha está mi escuela.
Nancy: Luis ¿tienes que cruzar la calle?
Luis: No, no tengo que cruzar la calle, mi casa está cerca de la escuela.
Luis: Nancy ¿cómo vas tú a la escuela?
Nancy: Yo camino a la escuela con Lupe y Maricela. Mi casa está lejos de la escuela.
Luis: ¿En qué calle vives?
Nancy: Vivo en la calle San Fermín en una casa de apartamentos .
Luis: ¿Dónde viven Lupe y Maricela?
Nancy: Viven en la casa de apartamentos también.
Luis: Hasta luego Nancy.
Nancy: Hasta mañana Luis.

Diálogo 2

Ulises: Buenas tardes Carmen.
Carmen: Buenas tardes Ulises.
Ulises: ¿Estás contenta Carmen?
Carmen: Si, estoy muy contenta.
Ulises: ¿Por qué estás contenta?
Carmen: Porque voy a mirar los perros en la tienda de animales.
Ulises: ¿Dónde está la tienda de animales?
Carmen: Está junto al restaurante en la calle Valencia.
Ulises: ¿Vas a comprar un perro?
Carmen: Si, yo quiero comprar un perro pequeño.
Ulises: ¿De qué color quieres el perro?
Carmen: Me gustan los perros negros. Ulises ¿Cuál es tu animal favorito?
Ulises: Mi animal favorito es el gato. Yo tengo un gato blanco.
Carmen: ¿Cómo se llama tu gato?
Ulises: Mi gato se llama Motica. ¿Cómo vas a llamar a tu perro?
Carmen: Mi perro se va a llamar Dino.
Ulises: Hasta luego Carmen.
Carmen: Adiós Ulises.

Vamos a leer

La clase va de paseo

La clase de español de la señora Martínez va de paseo al parque de diversiones. El parque no está **lejos de** la escuela. Los alumnos van a caminar hasta allí. Salen de la escuela y caminan hasta la calle Alicante. Pasan por el supermercado y la zapatería. Doblan a la **derecha** en la calle Valencia. Van hasta la calle Málaga. Cruzan **frente** al hospital en la calle San Fermín. Doblan a la **izquierda** en la calle Córdoba. Pasan por la gasolinera. Llegan al parque que está **detrás de** la farmacia y la panadería. ¡Qué contentos están los niños y la maestra!

1. ¿Adónde va la clase de español de la señora Martínez?
2. ¿Está el parque lejos de la escuela?
3. ¿Cómo van a ir al parque de diversiones?
4. ¿De dónde salen los alumnos?
5. ¿Hasta dónde caminan?
6. ¿Por dónde pasan?
7. ¿En qué calle doblan a la derecha?
8. ¿Hasta qué calle van?
9. ¿Dónde cruzan?
10. ¿En qué calle está el hospital?
11. ¿En qué calle doblan a la izquierda?
12. ¿Por dónde pasan?
13. ¿Dónde está el parque?
14. ¿Cómo están los niños y la maestra?

Ayudantes de la comunidad

el bombero

el cartero

el dentista

el farmacéutico

el policía

la enfermera

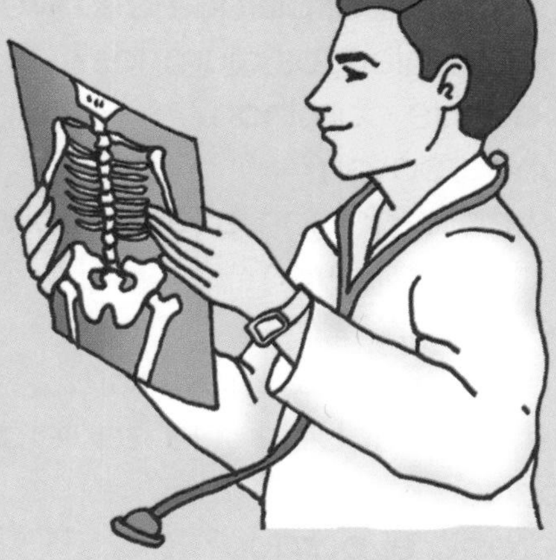

el médico

Aprendo nuevas palabras

bolsa

cartas

fuego

¡Socorro!

¡Auxilio!

camión de bomberos

escalera

semáforo

carro de policía

medicinas

enfermo

hidrante

manguera

Te gustaría saber . . . que en la América Latina algunos de los ayudantes de la comunidad como el policía, el cartero y el bombero son trabajos que sólo realizan los hombres y otros como el farmacéutico, el médico, el enfermero y el dentista son realizados por hombres y mujeres.

Aprendo nuevas acciones

La enfermera **ayuda** al médico.
El médico **cura** al enfermo.

El policía **cuida** al vecindario.

El cartero **lleva** las cartas.

El bombero **apaga** el fuego.

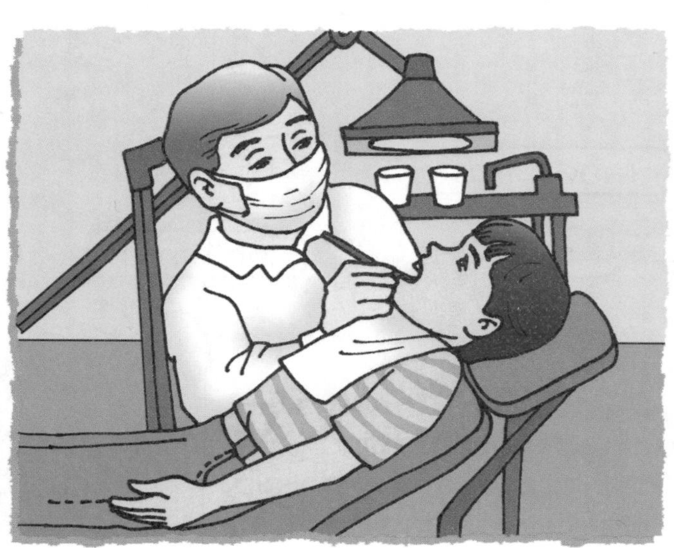

El dentista **trabaja** en la oficina dental.

El farmacéutico **trabaja** en la farmacia.

Aprendo nuevas acciones

Verbos terminados en **ar: llevar, trabajar, apagar, curar, ayudar, esperar, parar, pasar, gritar.** Estos verbos que terminan en **ar** cuando los usamos con el pronombre **yo** cambian la terminación **ar** por **o.**

Ejemplo: **Yo** trabaj**o**.

Cuando los usamos con los pronombres **él/ ella** cambian la terminación **ar** por **a.**

Ejemplo: **Él** trabaj**a**. **Ella** trabaj**a.**

llev**o**
apag**o**
cur**o**
ayud**o**
esper**o**
par**o**
grit**o**
pas**o**

llev**a**
apag**a**
cur**a**
ayud**a**
esper**a**
par**a**
grit**a**
pas**a**

1) Yo ______________ una mochila a la escuela. (llev**ar**)

2) La enfermera ______________ a mi hermanito. (cur**ar**)

3) Mi papá ______________ la vela. (apag**ar**)

4) Yo ______________ a mi mamá. (ayud**ar**)

5) Ella ______________ el autobús. (esper**ar**)

6) Él ______________ en la luz roja . (par**ar**)

7) Yo ______________ con la luz verde. (pas**ar**)

8) Ella ______________ ¡fuego! (grit**ar**)

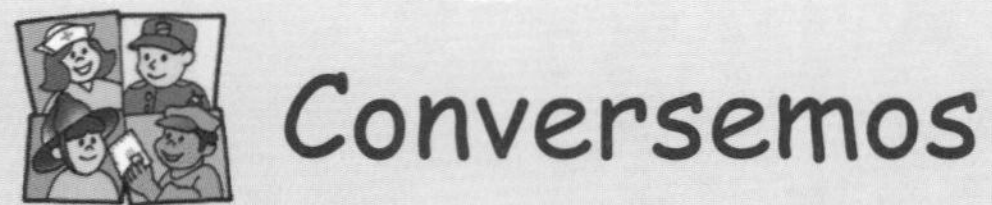

Conversemos

Diálogo 1

Niño: ¿Cuántas luces tiene el semáforo?

Mamá: El semáforo tiene tres luces.

Niño: ¿De qué colores son las luces?

Mamá: Las luces son roja, verde y amarilla.

Niño: ¿Qué dice la luz roja?

Mamá: La luz roja dice –¡Para!

Niño: Bien, ¿qué dice la luz verde?

Mamá: La luz verde dice –¡Sigue!

Niño: Sí, y ¿qué dice la luz amarilla?

Mamá La luz amarilla dice –¡Espera!

Niño: Mamá ¿Puedo ir al parque con mi amigo Omar?

Mamá: Sí, pero ten cuidado al cruzar la calle. Mira el semáforo.

Niño: Sí mamá, hasta luego.

Mamá: Hasta luego Juan.

Diálogo 2

Maricela: ¡Mira Inés! un fuego.

Inés: ¿Dónde? no veo nada.

Maricela Es el edificio donde vive Julio.

Inés: Sí, ya llegan los bomberos en sus camiones rojos tocando la sirena.

Maricela: Todos llevan sombreros, capas y botas de agua.

Inés: Ponen las mangueras en los hidrantes.

Maricela: ¡Mira la ventana del segundo piso!

Inés: La abuelita de Julio grita ¡Auxilio! ¡Socorro!

Maricela: Un bombero pone la escalera cerca de la ventana.

Inés: La abuelita baja por la escalera con su perro.

Maricela: ¡Qué bueno! ya los bomberos apagan el fuego.

Inés: Sí, los bomberos ayudan en la comunidad.

Vamos a leer

La clase de estudios sociales

Los niños de tercer grado van a la clase de estudios sociales. Allí van a hablar de las personas que ayudan en la comunidad. El papá de Juan es policía. Él trabaja en la estación de policía y cuida a las personas que viven en la comunidad. Él también va a la escuela y enseña a los niños pequeños a cruzar la calle por el semáforo. El papá de Maricela es médico. Él trabaja en el hospital y cura a los enfermos. La mamá de Maricela es enfermera y ayuda al papá en el hospital. El papá de Omar es cartero. Trabaja en la oficina de correo y tiene una bolsa muy grande donde tiene las cartas que lleva de casa en casa. El abuelo de Ulises trabaja en la estación de bomberos. Él es bombero. A Ulises le gusta montar en el camión de bomberos. El camión es grande y rojo. ¡Cuántas personas importantes trabajan en la comunidad!

1. ¿Adónde van los niños de tercer grado?
2. ¿De qué van a hablar en la clase?
3. ¿Quién es policía?
4. ¿Dónde trabaja ?
5. ¿Qué hace el policía?
6. ¿Quién enseña a cruzar la calle a los niños pequeños?
7. ¿Por dónde cruzan la calle?
8. ¿Qué es el papá de Maricela?
9. ¿Qué hace el médico?
10. ¿Quién trabaja con el papá de Maricela?
11. ¿Dónde trabajan el médico y la enfermera?
12. ¿Quién es cartero?
13. ¿Dónde trabaja el cartero?
14. ¿Qué lleva el papá de Omar en la bolsa grande?
15. ¿Dónde trabaja el abuelo de Ulises?
16. ¿Qué es el abuelo?
17. ¿Dónde le gusta montar a Ulises?
18. ¿Cómo es el camión?
19. ¿De qué color es el camión?
20. ¿Cómo son las personas que trabajan en la comunidad?

Los oficios

mecánico

camarero

frutero

carnicero

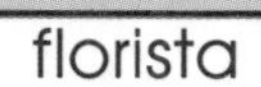
florista

zapatero

empleado

panadero

Aprendo nuevas palabras

Te gustaría saber . . . que en algunos países de América Latina a la gasolinera se le llama garaje y también estación de servicio.

Aprendo nuevas acciones

Es el mecánico.
El mecánico **arregla** el carro.
Él trabaja en la gasolinera.

Es el panadero.
El panadero **prepara** el pan y los dulces.
Él trabaja en la panadería.

Es el carnicero.
El carnicero **corta** la carne.
Él trabaja en la carnicería.

Es el frutero.
El frutero **cuenta** las frutas.
Él trabaja en la frutería.

Es la florista.
La florista **arregla** las flores.
Ella trabaja en la florería.

Es el camarero.
El camarero **lleva** los platos a la mesa.
Él trabaja en el restaurante.

Es el zapatero.
El zapatero **habla** con la señora.
Él trabaja en la zapatería.

Es el empleado.
El empleado **mira** el carro.
Él trabaja en la gasolinera.

Aprendo nuevas acciones

Los verbos terminados en **ar: arreglar, preparar, cortar, llevar, trabajar,** cuando los usamos con los pronombres **nosotros/ nosotras** cambia la terminación **ar** por **amos.**

Ejemplo: Nosotros trabaj**amos**.
Nosotras trabaj**amos**.

Cuando usamos los pronombres **ellos/ellas** los vebos terminados en **ar** cambian la terminación **ar** por **an.**

Ejemplo: Ellos trabaj**an**.
Ellas trabaj**an**.

Nosotros / Nosotras { preparamos, arreglamos, llevamos, cortamos }

Ellos / Ellas { preparan, arreglan, llevan, cortan }

1. Nosotros ______ las flores. (arreglar)
2. Ellos ______ las frutas en el plato. (preparar)
3. Ellas ______ el pan. (cortar)
4. Nosotras ______ en la florería. (trabajar)
5. Ellos ______ zapatos. (arreglar)
6. Nosotros ______ la mesa. (preparar)
7. Ellos ______ en la gasolinera. (trabajar)
8. Nosotros ______ las flores en el jardín. (cortar)
9. Nosotras ______ las flores. (arreglar)
10. Ellas ______ las frutas. (preparar)
11. Ellas ______ el pan. (cortar)
12. Nosotros ______ en la florería. (trabajar)
13. Ellas ______ zapatos. (arreglar)
14. Nosotras ______ la mesa. (preparar)
15. Ellos ______ en la gasolinera. (trabajar)
16. Nosotras ______ las flores en el jardín. (cortar)

Conversemos

Diálogo 1

Ulises: Papá, ¿Adónde vas tan enojado?
Papá: Voy al garaje. Tengo que hablar con el mecánico.
Ulises: ¿Dónde está el mecánico?
Papá: El mecánico está en la gasolinera de Don Pancho.
Ulises: ¿Vive él allí?
Papá: No Ulises, él trabaja allí.
Ulises: ¿Qué hace el mecánico?
Papá: El mecánico arregla los carros.
Ulises: ¿Qué tiene tu carro?
Papá: Mi carro no quiere caminar. Yo necesito mi carro para ir a la frutería.
Ulises: ¿Está lejos la frutería?
Papá: Sí, está en la calle Granada, al lado de la escuela.
Ulises: ¿Qué tienes que comprar en la frutería?
Papá: Tengo que comprar frutas para tus abuelos.
Ulises: También tienes que arreglar el carro. ¡Apúrate papá!

Diálogo 2

Mamá: Niñas vamos a ir de compras.
Maricela: ¿Adónde vamos mamá?
Mamá: Vamos a caminar a la panadería.
Inés: ¿Qué tienes que comprar?
Mamá: Tengo que comprar pan y dulces.
Inés: Me gustan los dulces y el pan.
Maricela: Mamá ¿Quién prepara el pan?
Mamá: El panadero prepara el pan. Él prepara el pan por la mañana.
Maricela: ¿Por la mañana? ¿A qué hora?
Mamá: A las cuatro de la mañana.
Maricela: ¿Qué hace el carnicero mamá?
Mamá: El carnicero corta la carne.
Inés: Yo quiero ser carnicera.
Maricela: Yo quiero trabajar en la panadería.
Inés: ¿Por qué?
Maricela: Porque hay muchos dulces. Ñam, ñam. ¡Qué rico!

Vamos a leer

Mario y su familia

Mario es un buen amigo. Él tiene un camión grande. Mario lleva la carne a la carnicería y frutas a la frutería. Él necesita comprar gasolina en la gasolinera. Después va a la tienda de ropa a comprar unas botas para su hijo pequeño y una camisa verde para él. Hoy es el cumpleaños de Elena. Elena es hija de Mario también. Mario quiere ir a la florería a comprar flores para ella. También quiere comprar dulces y pan en la panadería. ¡Qué contento regresa a su casa donde lo espera su familia!

1. ¿Quién es Mario?
2. ¿Qué tiene Mario?
3. ¿Qué lleva Mario a la carnicería?
4. ¿Adónde lleva Mario las frutas?
5. ¿Qué necesita comprar en la gasolinera?
6. ¿Qué compra Mario para su hijo pequeño?
7. ¿De qué color es la camisa que Mario compra?
8. ¿De quién es el cumpleaños hoy?
9. ¿Quién es Elena?
10. ¿Qué quiere comprar Mario?
11. ¿Dónde compra las flores?
12. ¿Dónde compra el pan y los dulces?
13. ¿Cómo se siente Mario de regreso a su casa?

Una visita al médico

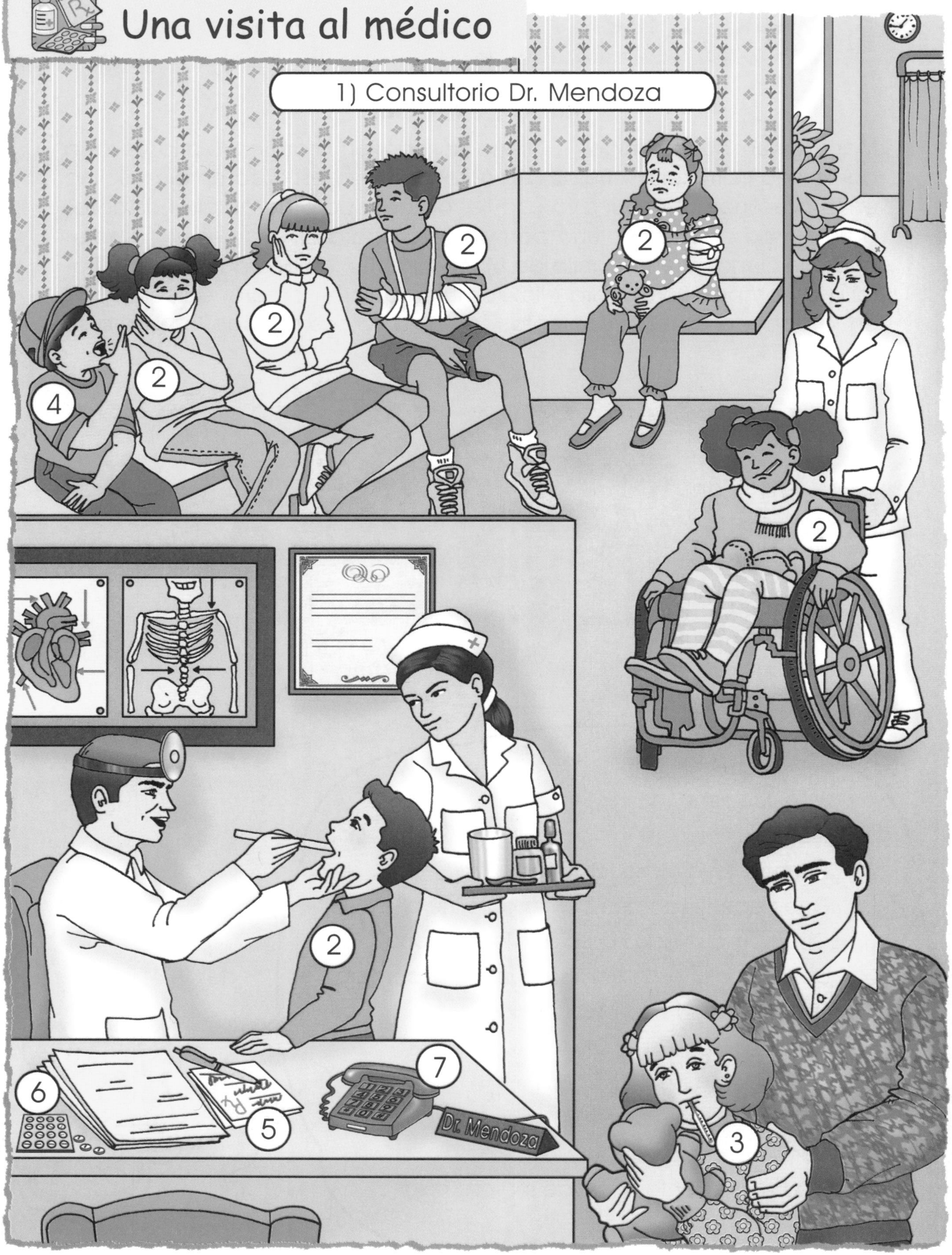

1) Consultorio Dr. Mendoza

2 2 2 2 2 2 2

4

7

6

5

Dr. Mendoza

3

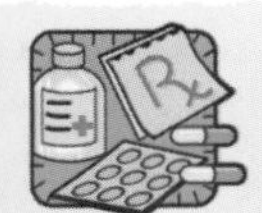

Aprendo nuevas palabras

1) Es el **consultorio.**
El médico y la enfermera trabajan en el consultorio.

2) Es el **paciente.**
El paciente está en el consultorio.

3) Es el **termómetro.**
La paciente tiene **fiebre.**
La paciente está enferma.

4) El paciente tiene **catarro.**
El paciente tiene **tos.**
El paciente está enfermo.

Aprendo nuevas palabras

5) Es la **receta.**
El médico receta medicinas.

6) Son las **vitaminas.**
Yo tomo vitaminas.

7) Es el **teléfono.**
La enfermera habla por teléfono.

Te gustaría saber . . . que en algunos países de América Latina al médico se le llama doctor.

¿Qué te duele?

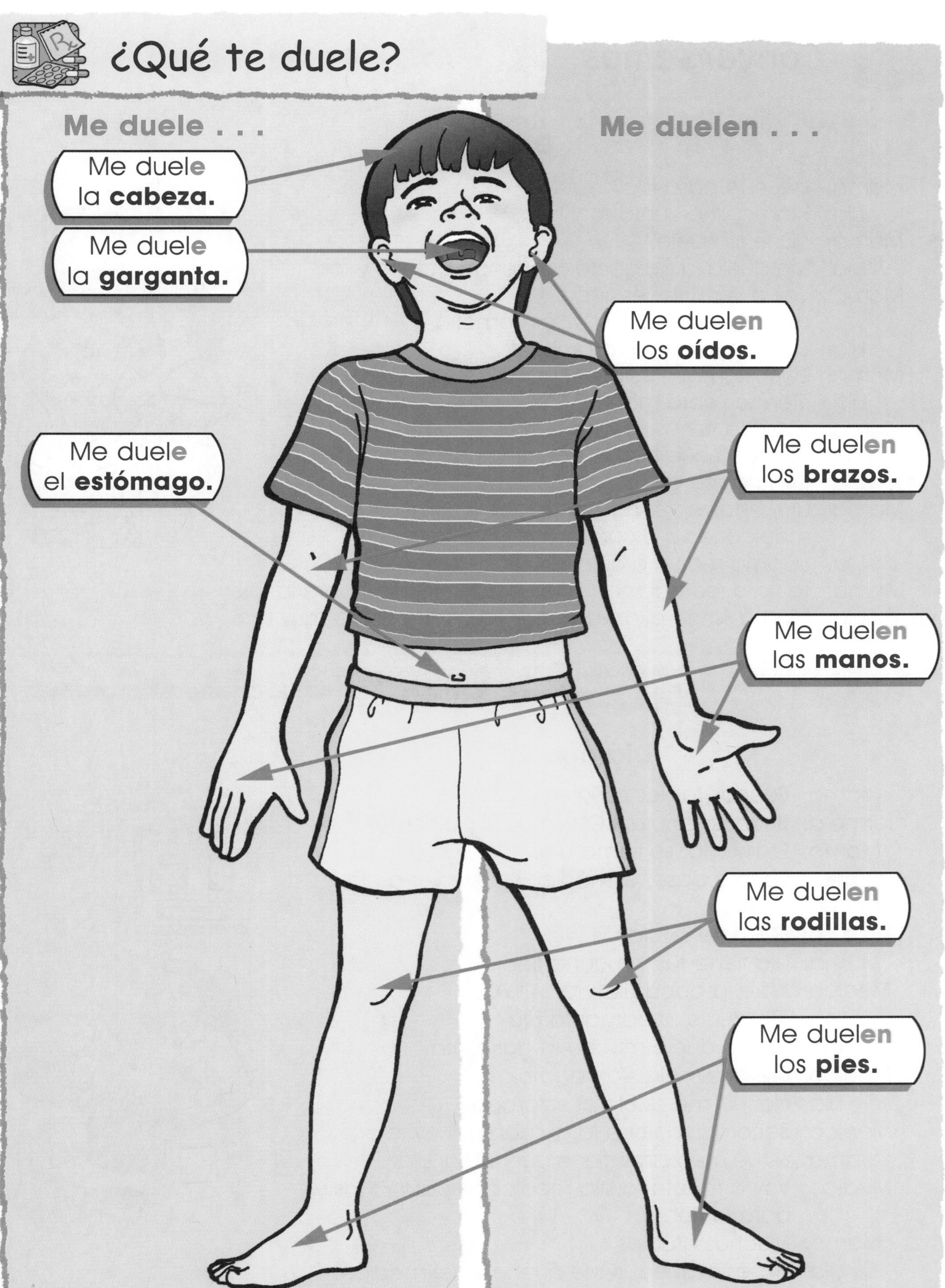
Me duele . . .
Me duelen . . .
Me duele la cabeza.
Me duele la garganta.
Me duelen los oídos.
Me duele el estómago.
Me duelen los brazos.
Me duelen las manos.
Me duelen las rodillas.
Me duelen los pies.

Conversemos

Diálogo 1

Mamá: ¿Qué te pasa Lila?

Lila: Mamá, me siento mal hoy.

Mamá: ¿Qué te duele?

Lila: Me duele la garganta. Yo tengo catarro y tos.

Mamá: Voy a ver si tienes fiebre.
Lila, por favor busca el termómetro.

Lila: ¿Dónde está el termómetro?

Mamá: El termómetro está en el gabinete del baño.

Lila: ¿Tengo fiebre mamá?

Mamá: ¡Oh, Lila tienes mucha fiebre!
Yo tengo que hablar por teléfono con el médico.

Lila: ¡No, no me gusta ir al médico!

Mamá: Lila, estás enferma tienes que ir al médico. El médico te va a curar.

Lila: ¿Cómo me va a curar?

Mamá: Te va a recetar medicinas para la fiebre y para la tos.

Lila: Mamá llama al médico por favor, me siento muy mal.

Diálogo 2

Mamá: Buenas tardes señorita

Enfermera: Buenas señora. ¿Quién es el paciente?

Mamá: Es mi hija, se llama Lila.

Enfermera: Señora pase, el médico quiere ver a Lila.

Mamá: Gracias.

Médico: ¿Qué tiene Lila?

Mamá: Lila tiene tos y mucha fiebre.

Médico: Abre la boca Lila y dí ¡Ah,Ah,...!
¿Te duele la garganta Lila?

Lila: Sí, me duele mucho la garganta.

Médico: ¿Te duele el estómago Lila?

Lila: No, no me duele el estómago.

Médico: Señora, Lila tiene la garganta muy roja.

Mamá: ¿Qué medicinas tiene que tomar Lila?

Médico: Voy a recetar a Lila medicinas para la tos y para la fiebre.

Mamá: Muchas gracias.

Lila: ¡Ya estoy bien! ¡Qué bueno es el médico!

Vamos a leer

En la farmacia

Me llamo Alicia. Me siento muy mal hoy porque estoy enferma, mi mamá me lleva al médico. El médico me ve en su consultorio y busca dónde me duele. Luego él da una receta a mi mamá para comprar las medicinas en la farmacia. En la farmacia hay vitaminas, termómetros, medicinas y hay también caramelos, juguetes y libros de colorear. Mi mamá espera por el farmacéutico y yo miro los juguetes y los libros de colorear. En la farmacia compramos medicinas con recetas y sin recetas. El farmacéutico ayuda a preparar las medicinas que recetan los médicos.

1. ¿Quién está enferma?
2. ¿Cómo se siente Alicia?
3. ¿Quién lleva a Alicia al médico?
4. ¿Dónde está el médico?
5. ¿Qué le dá el médico a la mamá?
6. ¿Para qué es la receta?
7. ¿Dónde se compran las medicinas?
8. ¿Qué hay en la farmacia?
9. ¿Por quién espera la mamá?
10. ¿Qué mira Alicia?
11. ¿Cómo compramos las medicinas en la farmacia?
12. ¿A qué ayudan los farmacéuticos?
13. ¿Quiénes recetan las medicinas?

Otros miembros de la familia

Aprendo nuevas palabras

1. Es la familia López.
2. El señor López es el **abuelo.**
3. La señora López es la **abuela.**
4. Luis es el **hijo** del señor y la señora López.
5. Ana es la **hija** del señor y la señora López.
6. María es la **esposa** de Luis.
7. Rafael es el **esposo** de Ana.
8. Pedro y Nancy son los **hijos** de Luis y María.
9. Rosa, José y Juan son los **hijos** de Rafael y Ana.
10. Nancy y Rosa son las **nietas** del señor y la señora López.
11. Pedro, José y Juan son los **nietos** del señor y la señora López.
12. Luis y María son los **tíos** de Rosa, José y Juan.
13. Pedro y Nancy son los **sobrinos** de Rafael y Ana.
14. Rosa, José y Juan son los **primos** de Pedro y Nancy.

Te gustaría saber. . . que en México es costumbre romper una piñata en la fiesta de cumpleaños de los niños. Esta costumbre se ha hecho popular en otros países de habla hispana.

Aprendo nuevas acciones

SER

Yo	Él / Ella	Nosotros / Nosotras	Ellos / Ellas
soy	es	somos	son

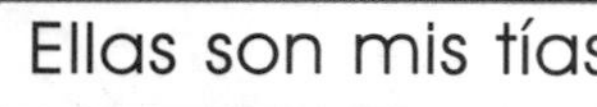

Ellos son mis tíos.

Ellos son mis tíos.

Jugando con palabras

Se usa **mi/ tu** cuando hablamos de una persona, animal o cosa. Se usa **mis/ tus** cuando hablamos de más de una persona, animal o cosa.

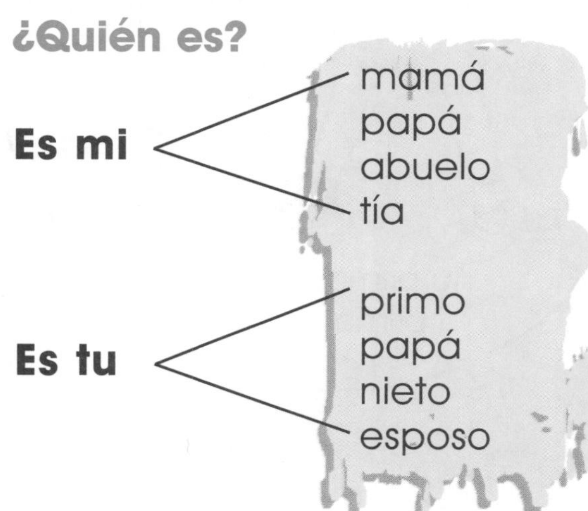

¿Quién es?

Es mi — mamá, papá, abuelo, tía

Es tu — primo, papá, nieto, esposo

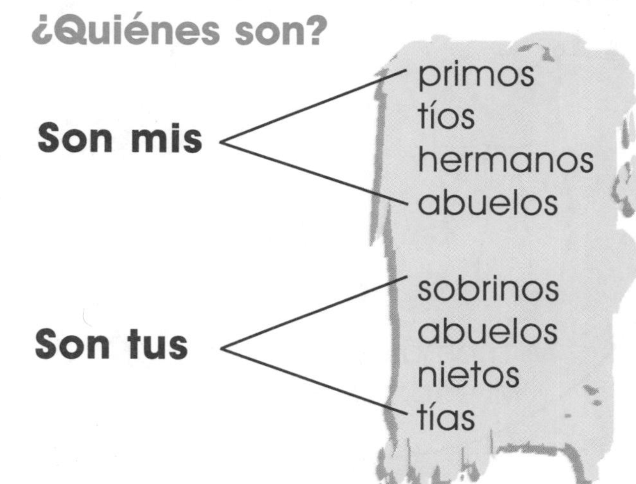

¿Quiénes son?

Son mis — primos, tíos, hermanos, abuelos

Son tus — sobrinos, abuelos, nietos, tías

Aprendo los opuestos

LECCIÓN 9

Tus tíos tienen una casa **pequeña.**

Mis primos viven en una calle **estrecha.**

Tus abuelos tienen una casa **grande.**

Yo vivo en una calle **ancha.**

Yo soy **menor que** mi hermana.

Mi hermana es **mayor que** mi primo.

Conversemos

Diálogo 1

Abuela: Buenas tardes, Dania.
Dania: Buenas tardes, abuela. ¿Cómo estás?
Abuela: Estoy contenta. ¿Y tú?
Dania: Estoy bien, pero quiero dormir.
Abuela: ¿Dónde está tu papá?
Dania: Mi papá habla por teléfono.
Abuela: ¿Con quién habla tu papá?
Dania: Habla con mi tío Rafael.
Abuela: ¿Dónde está tu mamá?
Dania: Mi mamá está en la cocina con mi hermana.
Abuela: ¿Qué hacen ellas en la cocina?
Dania: Ellas preparan una rica merienda para mis primos.
Abuela: ¿Dónde está tu hermano?
Dania: Mi hermano está en el patio con el abuelo.
Abuela: ¿Qué hacen en el patio?
Dania: Ellos cortan las flores para poner en la mesa.
Abuela: ¿Adónde vas Dania?
Dania: Yo voy a mi dormitorio. Voy a dormir.

Diálogo 2

Maestra: Buenos días, niños.
Niños: Buenos días señora Mendoza.
Maestra: Hoy vamos a hablar de la familia. Lupe, ¿cómo es tu familia?
Lupe: Mi familia es pequeña.
Maestra: ¿Quiénes son las personas de tu familia?
Lupe: Son mi mamá, mi papá y Roberto, mi hermano menor.
Maestra: Lupe, ¿cómo es tu mamá?
Lupe: Mi mamá es alta y bonita.
Maestra: ¿Cómo es tu papá?
Lupe: Mi papá es alto y gordo.
Maestra: Oscar, ¿cómo es tu familia?
Oscar: Mi familia es grande. Somos muchos en mi familia. Somos mi mamá, mis abuelos y mis tres hermanos.
Maestra: Niños, vamos a dibujar las personas de tu familia.

Vamos a leer

La casa de Jaime

Mi primo Jaime vive en una casa grande y nueva con puertas anchas y ventanas altas. La calle donde él vive es ancha y hay muchos carros. Cerca de la casa de Jaime hay un parque donde los niños juegan pelota. Algunos niños son pequeños y otros son grandes. Jaime tiene muchos amigos. Su amigo preferido se llama Carlos. Él es alto y gordo. La hermana de Jaime se llama Gisela. Ella juega en su casa con sus primas Nora y Lisa. Ellas juegan a las muñecas. ¡Qué contentos están los niños!

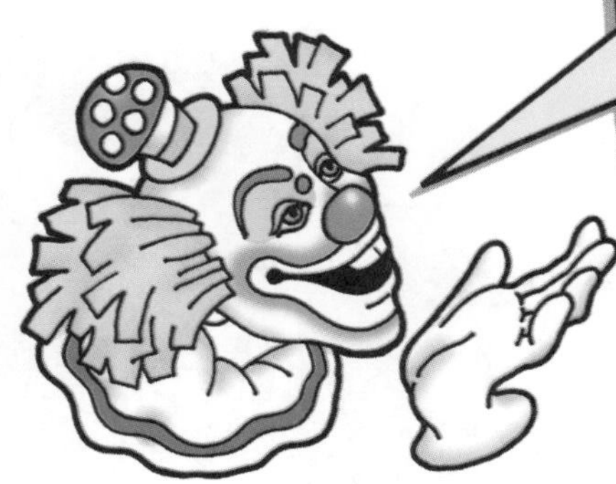

1. ¿Cómo se llama el primo?
2. ¿Dónde vive Jaime?
3. ¿Cómo es la casa?
4. ¿Cómo son las puertas y ventanas?
5. ¿Cómo es la calle donde vive Jaime?
6. ¿Qué hay cerca de la casa de Jaime?
7. ¿A qué juegan los niños en el parque?
8. ¿Cómo son los niños que juegan con Jaime?
9. ¿Tiene Jaime muchos amigos?
10. ¿Cómo se llama el amigo preferido de Jaime?
11. ¿Cómo es Carlos?
12. ¿Cómo se llama la hermana de Jaime?
13. ¿Dónde juega Gisela?
14. ¿Con quién juega Gisela?
15. ¿Cómo se llaman las primas de Jaime y Gisela?
16. ¿A qué juegan las niñas?
17. ¿Cómo están los niños?

El desayuno

¿Qué quieres comer en el desayuno?

mantequilla

tocineta

cereal

huevos fritos

queso crema

pan tostado

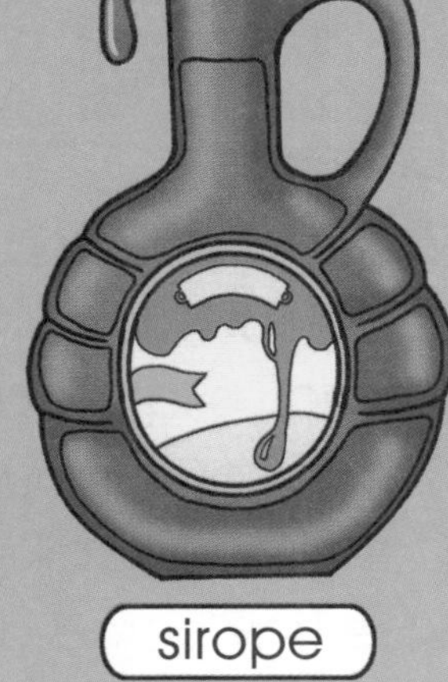

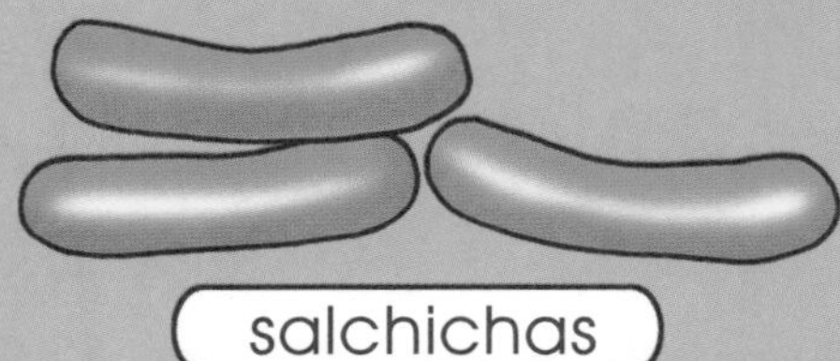

huevos revueltos

salchichas

sirope

panqueques

¿Qué quieres tomar en el desayuno?

leche

jugo de naranja

café con leche

jalea

chocolate

azúcar

Quiero tomar leche.

Quiero tomar chocolate.

Quiero tomar jugo de naranja.

Te gustaría saber . . . que en algunos países de América Latina los jugos de frutas son muy populares en el desayuno. Además de la naranja se usan otras frutas como la papaya, el mango, el melón de agua y el melocotón. También se usan estos jugos para hacer helados de paleta.

Aprendo nuevas acciones

	tomar (ar)	desayunar (ar)	comer (er)
yo	tom**o**	desayun**o**	com**o**
tú	tom**as**	desayun**as**	com**es**
él ella	tom**a**	desayun**a**	com**e**
nosotros nosostras	tom**amos**	desayun**amos**	com**emos**
ellos ellas	tom**an**	desayun**an**	com**en**

Practica las acciones:

1) Yo	leche en el desayuno.	tomar
2) Nosotros	huevos revueltos.	comer
3) Tú	chocolate por las mañanas.	tomar
4) Ella	a las 7:00 de la mañana.	desayunar
5) Él	panqueques con sirope.	comer
6) Nosotras	en el comedor.	desayunar
7) Ellos	cereal con leche.	comer
8) Ellas	jugo de naranja.	tomar

Aprendo nuevas horas

¿Qué hora es?

Son las seis menos cuarto.

Son las seis y cuarto.

Son las siete menos cuarto.

Son las siete y cuarto.

Son las ocho menos cuarto.

Son las ocho y cuarto.

1) ¿A qué hora desayunas tú?
Yo desayuno a las ____________________.

2) ¿A qué hora desayuna tu papá?
Mi papá desayuna a las ____________________.

3) ¿A qué hora desayuna Elena?
Elena desayuna a las ____________________.

4) ¿A qué hora desayunamos nosotros?
Nosotros desayunamos a las ____________________.

5) ¿A qué hora desayunan ellos?
Ellos desayunan a las ____________________.

6) ¿A qué hora desayunan ellas?
Ellas desayunan a las ____________________.

Conversemos

Diálogo 1

Omar: ¿Tienes hambre papá?
Papá: Sí, tengo hambre. Omar vamos a preparar el desayuno para todos.
Omar: Sí, pero apúrate. ¡ Yo tengo mucha hambre! ¿Qué come mamá en el desayuno?
Papá: Ella come huevos revueltos.
Omar: ¿Qué toma ella en el desayuno?
Papá: Ella toma jugo de naranja.

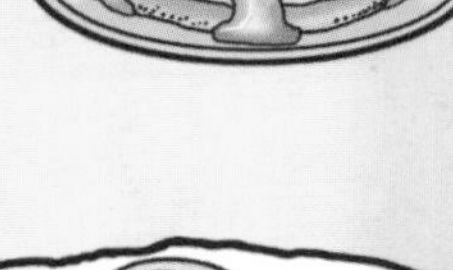

Omar: A mi hermano Luis le gusta el café con leche y panqueques con sirope.
Papá: ¿Qué come tu hermana en el desayuno?
Omar: Ella come salchichas y pan tostado con mantequilla.
Papá: ¿Qué toma ella en el desayuno?
Omar: Ella toma chocolate.
Papá: ¿Qué quieres comer tú en el desayuno?
Omar: Yo quiero comer cereal con leche, huevos fritos y tocineta.
Papá: Yo voy a desayunar café con leche y pan tostado con queso crema.

Omar: Papá ¿A qué hora desayunamos nosotros?
Papá: Nosotros desayunamos a las ocho y cuarto.
Omar: Papá son las ocho y cuarto.
Papá: Sí hijo, llama a la familia.

Diálogo 2

Abuela: Buenos días, Lina.
Lina: Buenos días, abuela. ¿Cómo estás hoy?
Abuela: Estoy muy preocupada.
Lina: ¿Por qué estás preocupada abuela?
Abuela: Porque quiero visitar a tus maestros y necesito la hora de las clases.
Lina: ¿Qué clases quieres visitar abuela?
Abuela: Lina, quiero visitar la maestra de español.
Lina: La clase de español es a las nueve y cuarto.
Abuela: Lina ¿a qué hora tienes la clase de estudios sociales?
Lina: La clase de estudios sociales es a las diez menos cuarto.
Abuela : Lina, ahora no estoy preocupada. Gracias por tu ayuda.
Lina: ¡Hasta pronto abuela!

Vamos a leer

En la cafetería de la escuela

Son las ocho menos cuarto de la mañana. Es la hora de desayunar. Los niños están en la cafetería de la escuela. Luis quiere desayunar porque tiene hambre. Roberto tiene mucha hambre también. En el desayuno de la cafetería hay leche con cereal, huevos fritos, pan tostado con mantequilla y panqueques con sirope. A Lina le gustan los huevos fritos pero Roberto prefiere los huevos revueltos. Luis va a desayunar panqueques con sirope. A Inés no le gusta el desayuno de la cafetería. Ella prefiere desayunar en su casa porque hay salchichas, jugo de naranja y chocolate. A ella le gusta el chocolate. Roberto prefiere el jugo de naranja. Luis dice: – ¡Vamos a desayunar amigos!

1. ¿Qué hora es?
2. ¿Dónde están los niños?
3. ¿Por qué quiere desayunar Luis?
4. ¿Quién tiene mucha hambre también?
5. ¿Qué hay en el desayuno?
6. ¿Qué le gusta a Lina?
7. ¿Qué prefiere Roberto?
8. ¿Qué va a desayunar Luis?
9. ¿Dónde prefiere desayunar Inés?
10. ¿Por qué Ines prefiere desayunar en su casa?
11. ¿Qué prefiere tomar Roberto?
12. ¿Qué dice Luis?

El almuerzo

¿Qué quieres comer en el almuerzo?

mayonesa

mantequilla de maní

jamón

queso

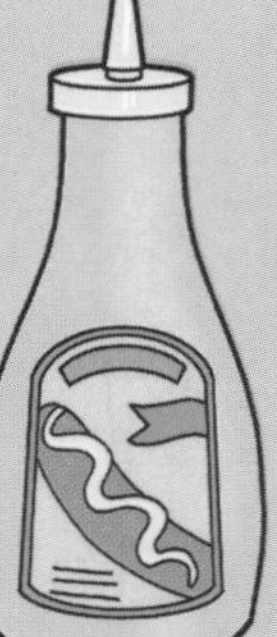

mostaza

hamburguesa

sándwich

pizza

manzana

uvas

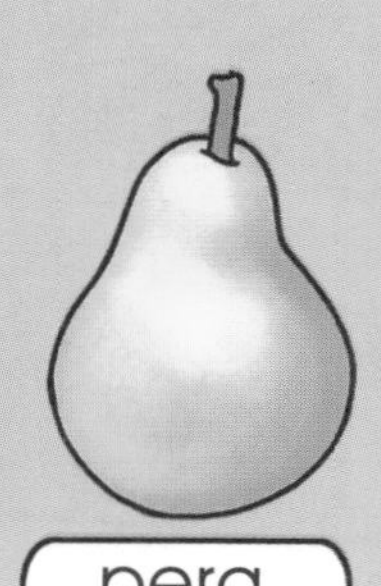

pera

fresas

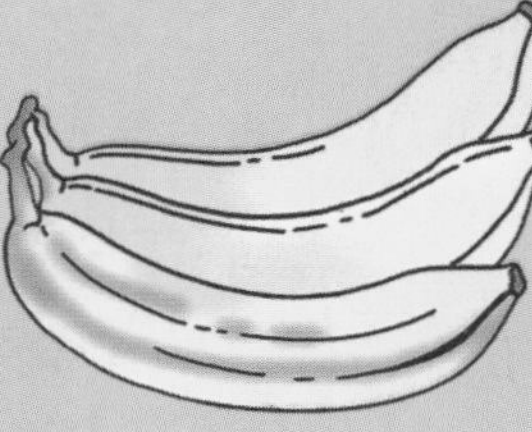

bananas

¿Qué quieres tomar en el almuerzo?

soda

helado

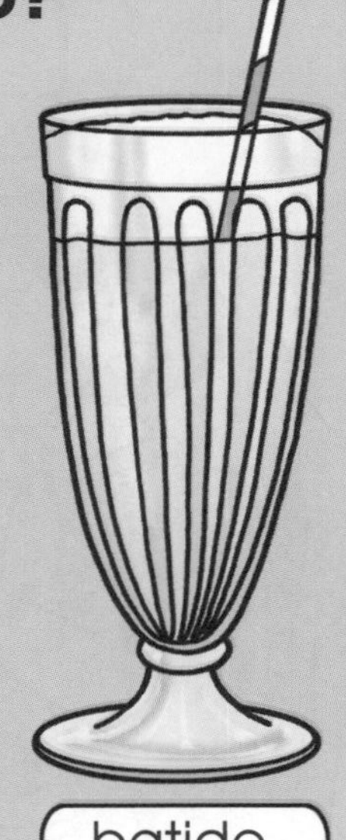

batido

agua

yogur

limonada

jugo de frutas

Quiero tomar limonada.

Quiero tomar batido de fresas.

Quiero tomar helado.

Te gustaría saber . . .que en los países de América Latina las personas van a sus casas a almorzar, duermen una siesta y después regresan a sus actividades del día.

Aprendo nuevas acciones

almorzar

yo	almuerz**o**
tú	almuerz**as**
él **ella**	almuerz**a**
nosotros **nosotras**	almorza**mos**
ellos **ellas**	almuerz**an**

Practica:

1) Yo ______ a las doce y cuarto.

2) Ella ______ en la cafetería de la escuela.

3) Tú ______ con tu abuelos todos los domingos.

4) Ellos ______ en el comedor de la casa.

5) Nosotros ______ pizza y papitas fritas.

6) Ellas ______ con sus primos en el campo.

7) Él ______ un sándwich de jamón y queso.

8) Nosotras ______ de lunes a viernes en la escuela.

Jugando con los números

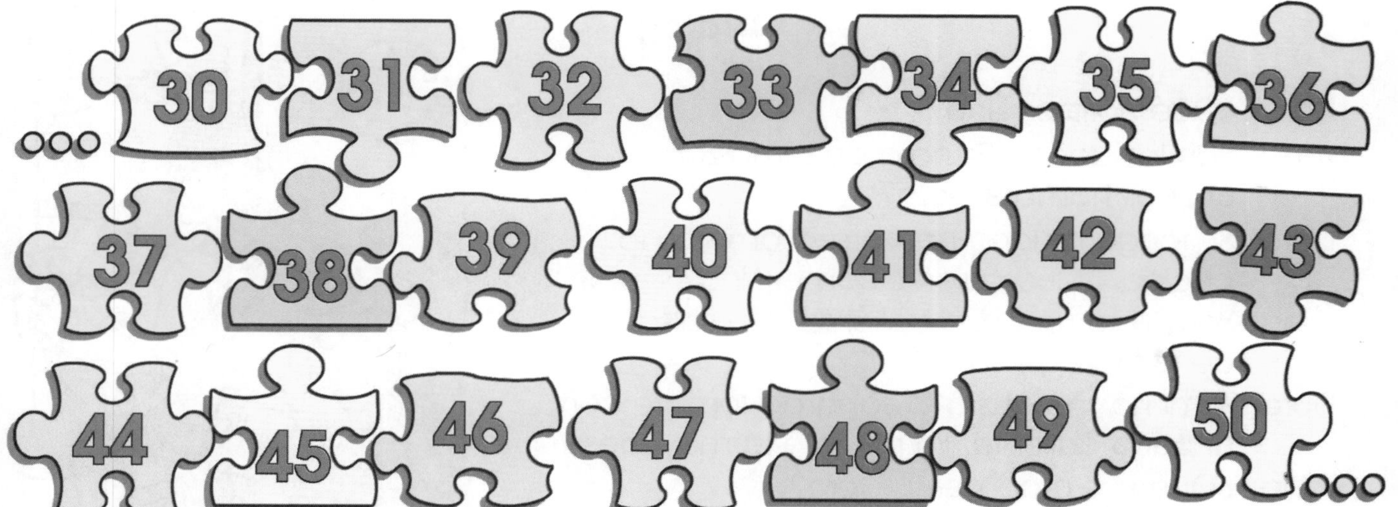

33 > 30
El número 33 **es mayor que** el número 30

47 < 50
El número 47 **es menor que** el número 50

Practica **"es mayor que"**:

1) 48 > 36	4) 37 > 32	7) 42 > 40
2) 36 > 34	5) 47 > 41	8) 44 > 20
3) 42 > 40	6) 44 > 39	9) 43 > 38

Practica **"es menor que"**:

1) 31 < 38	4) 44 < 49	7) 32 < 35
2) 48 < 50	5) 34 < 37	8) 36 < 40
3) 32 < 35	6) 41 < 45	9) 46 < 47

Conversemos

Diálogo 1

Dora: ¿Qué hora es Lina?

Lina: Son las doce. Es hora de almorzar ¿Tienes hambre Dora?

Dora: Sí, tengo mucha hambre. Vamos a la cocina. ¿Qué quieres comer Lina?

Lina: Yo quiero un perro caliente con salsa de tomate y mostaza.

Dora: A mi no me gusta la salsa de tomate con el perro caliente. Yo prefiero la mayonesa.

Lina: ¿Qué vas a comer tú Dora?

Dora: Yo voy a comer una hamburguesa con mayonesa y queso. ¿Qué quieres tomar Lina?

Lina: Quiero una limonada porque tengo mucha sed. Dora ¿a qué hora almuerza tu familia?

Dora: Mi mamá almuerza a las doce y media en la casa, mi papá almuerza a la una en la oficina y mi hermana menor a las once y cuarto en la escuela.

Lina: ¿A qué hora almuerza tu familia el sábado y el domingo?

Dora: Almorzamos a la una todos juntos.

Lina: También nosotros almorzamos todos juntos los domingos.

Diálogo 2

Omar: ¡Hola Luis! ¿Cómo estás?

Luis: Estoy bien. ¿Qué tiempo hace hoy Omar?

Omar: Hace sol y mucho calor. Es un buen día para ir al parque y jugar pelota.

Luis: Vamos, pero antes quiero tomar agua.

Omar: ¿Tienes tú sed Luis?

Luis: Sí, tengo mucha sed.

Omar: Yo no tengo sed, pero tengo mucha hambre.

Luis: Omar ¿quieres comer un sándwich de mantequilla de maní?

Omar: Sí, pero quiero el sándwich con jalea de uvas.

Luis: ¡Qué rico! Voy a preparar otro sándwich para mí.

Vamos a leer

Los niños van a almorzar

Los niños están en la cafetería frente al parque. Luisa tiene mucha hambre y también mucha sed. Ella no sabe qué quiere comer ni qué quiere tomar. Natalia, su hermana menor quiere comer pizza y tomar un batido de chocolate. Su primo Carlos prefiere comer una hamburguesa con salsa de tomate y mostaza, también quiere tomar un jugo de mango. Inés, su amiga, no quiere comer porque está enferma. Tiene dolor de cabeza. Ella va a tomar una gelatina de fresa. Ulises va a comer frutas. Él quiere banana, uvas y manzanas. Luisa quiere frutas también y una limonada. Todos hablan muy contentos.

1. ¿Dónde están los niños?
2. ¿Adónde está la cafetería?
3. ¿Qué tiene Luisa?
4. ¿Sabe Luisa lo qué quiere comer?
5. ¿Sabe Luisa lo qué quiere tomar?
6. ¿Quién es Natalia?
7. ¿Quién es mayor Luisa o Natalia?
8. ¿Qué quiere comer Natalia?
9. ¿Qué quiere tomar Natalia?
10. ¿Quién es Carlos?
11. ¿Qué prefiere comer Carlos?
12. ¿Qué quiere tomar Carlos?
13. ¿Por qué no quiere comer Inés?
14. ¿Qué tiene Inés?
15. ¿Qué va a tomar ella?
16. ¿Qué va a comer Ulises?
17. ¿Qué frutas quiere Ulises comer?
18. ¿Qué quiere comer Luisa?
19. ¿Qué quiere tomar ella?
20. ¿Cómo se sienten los niños?

La cena

¡Me gusta...! ¡Me gustan...!

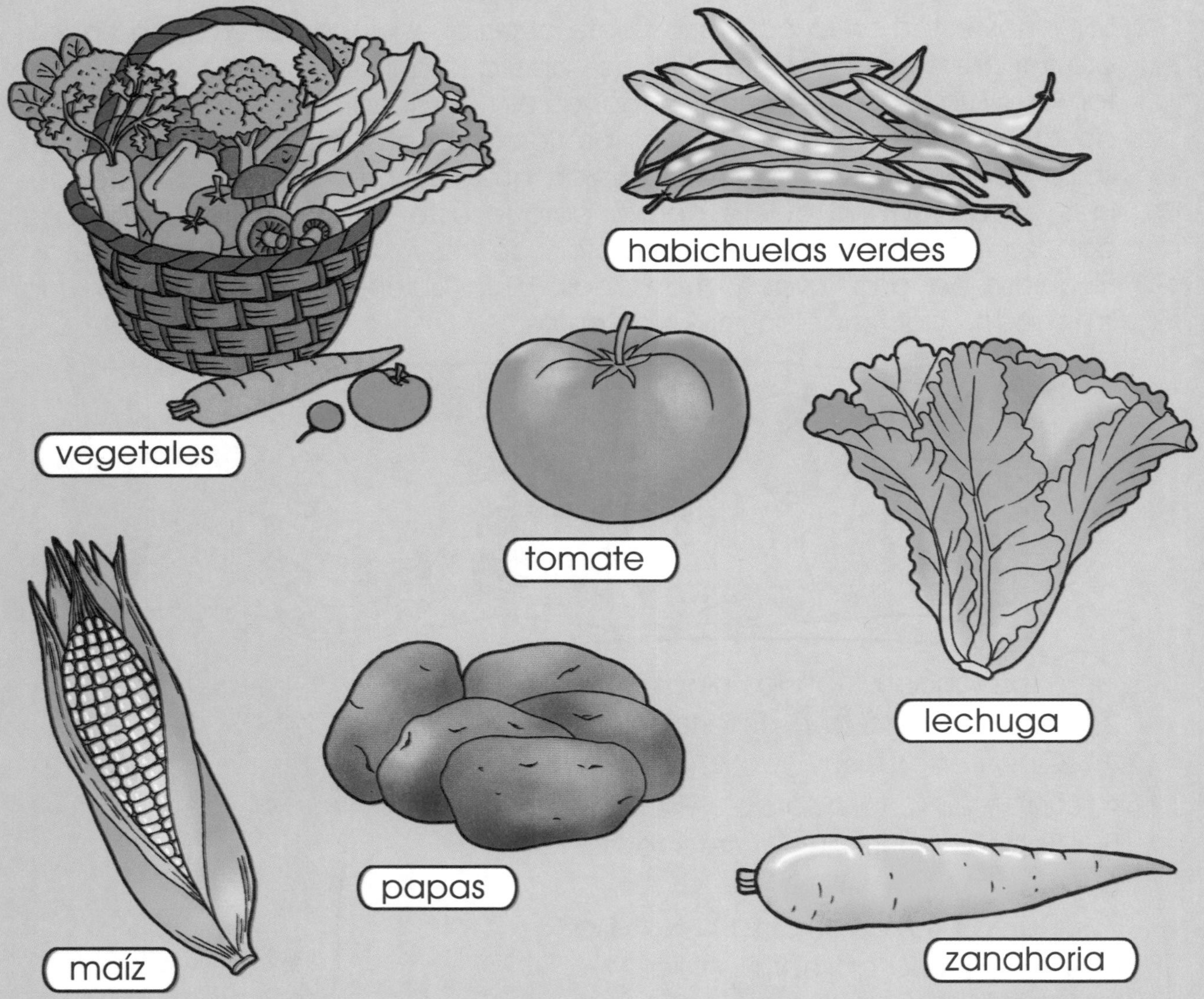

vegetales

habichuelas verdes

tomate

lechuga

maíz

papas

zanahoria

Aprendo nuevas palabras

¡Me gusta...! ¡Me gustan...!

carne

sopa

arroz

pavo

pasta

carne de cerdo

pollo

Aprendo nuevas palabras

Los postres

¡Me gusta la torta de chocolate!

¡Me gusta el pastel de manzana!

¡Me gustan los postres!

Te gustaría saber... que en algunos países de América Latina a los vegetales y frutas que se comen cocinados se les llaman viandas, como el ñame, la yuca, el plátano, la papa, la calabaza y otros más.

Aprendo nuevas acciones

cenar (ar)

Yo	cen**o**
tú	cen**as**
él ella	cen**a**
nosotros nosotras	cen**amos**
ellos ellas	cen**an**

cocinar (ar)

Yo	cocin**o**
tú	cocin**as**
él ella	cocin**a**
nosotros nosotras	cocin**amos**
ellos ellas	cocin**an**

Practica: cenar

1) Yo ______ a las siete y cuarto de la noche.
2) Ellos ______ vegetales y carne.
3) Nosotros ______ en el comedor de la casa.
4) Tú ______ los domingos con tus abuelos.
5) Ella ______ con sus hermanos todos los días.
6) Él ______ arroz, pavo y habichuelas verdes.

Practica: cocinar

1) Yo ______ arroz con pollo.
2) Ella ______ un pavo para la cena.
3) Nosotros ______ en la estufa nueva.
4) Ellas ______ un menú muy sabroso.
5) Tú ______ un pastel de manzana.
6) Él ______ las pastas con salsa de tomate.

Grupos de alimentos

Carnes y pescados

cerdo . . . .

jamón . . . .

carne . . . .

pollo . . . .

pavo . . . .

pescado . . . .

tocineta . . . .

salchicha . . . .

Vegetales y frutas

tomate . . . lechuga . .

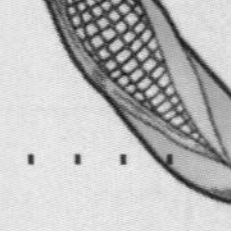

maíz . . . . papas . . . .

habichuelas verdes . . . .

zanahoria . . . . .

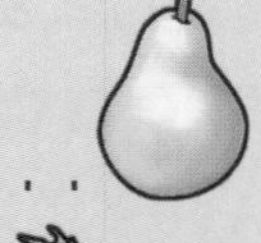

manzana . . . pera . . .

uvas . . fresas . .

bananas . . . . .

Derivados de la leche

mantequilla . . . .

queso . . . .

queso crema . . . . . .

yogur . . . .

Cereales y pastas

arroz . . . .

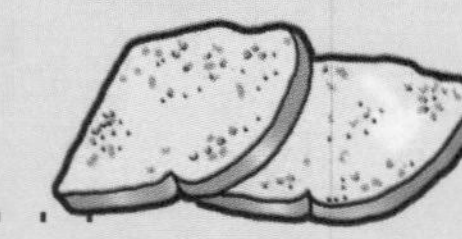

pan . . . .

cereal . . . .

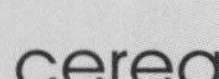

pastas . . . .

¿Qué quieres cenar?

Quiero cenar...

Pirámide de la nutrición

¡A comer bien!

Ejercicios

arroz

Leche

Aceite

Granos	Vegetales	Frutas	Leche	Carne y frijoles

¿Qué hay para la cena?

Hay ...

Conversemos

Diálogo 1

Lila: Mamá ¿qué hora es?
Mamá: Son las siete y media de la noche.
Tito: ¿A qué hora cenamos mamá?
Mamá: Cenamos a las ocho. Tenemos que esperar a papá.
Tito: Tengo mucha hambre.
Lila: Yo también tengo hambre.
Tito: ¿Qué hay para la cena mamá?
Mamá: Hay pollo, papas fritas y ensalada de lechuga y tomate.
Lila: ¡Qué bueno! A mi me gusta mucho el pollo.
Tito: Yo prefiero las pastas.
Lila: ¿Dónde está abuela mamá?
Mamá: Ella está en la cocina
Lila: ¿Qué hace la abuela allí?
Mamá: Ella prepara el postre. Prepara un pastel de manzana.
Tito: Lila ¿te gusta el pastel de manzana?
Lila: Sí, me gusta mucho con helado de chocolate arriba. Tito ¿qué te gusta a tí?
Tito: A mi me gusta la torta de chocolate y el flan.
Lila: ¡Qué bueno! ¡Qué bueno! Aquí está papá.

Diálogo 2

Omar: ¡Hola amigos! ¿Cómo están ustedes?
Lalo: Nosotros estamos bien.
Lina: Omar, mañana es el cumpleaños de Lupe y queremos tener una fiesta.
Omar: ¡Qué divertido! ¿Qué vamos a llevar a la fiesta?
Lalo: Tenemos que preparar la comida.
Omar: ¿Quién cocina la torta?
Ana: Mi mamá cocina la torta de chocolate. Ella va a preparar la torta después de la cena.
Omar: ¿A qué hora cena ella?
Ana: Ella cena a las siete y media de la noche.
Lina: ¿Quién cocina el pastel de manzana?
Omar: Mi mamá cocina muy bien. Ella va a preparar el pastel después que mis abuelos terminen de cenar.
Lina: ¿A qué hora cenan ellos?
Omar: Ellos cenan a las seis y media de la tarde.
Lina: Yo voy a comprar helado para el pastel.
Lila: ¡Hasta mañana!

Vamos a leer

La cena de la familia

Mi hermana y yo vamos a la escuela del barrio que está frente al parque. Mi mamá nos recoge en la escuela todas las tardes. Cuando llegamos a la casa abuela está en la cocina y prepara la merienda. Nosotros tenemos mucha hambre y ella nos prepara un sándwich de mantequilla de maní con jalea de uvas y tomamos un jugo de frutas o un batido. Después estudiamos. Por la noche mi mamá cocina la cena. Ella prepara comidas muy sabrosas. La cena favorita de mi familia es la carne de cerdo, arroz blanco, maíz, lechuga y tomate. Mi hermana y yo tomamos leche y mi papá, mi mamá y mis abuelos toman agua. De postre todos comemos flan o pastel de manzana. Mi papá y yo comemos mucho. Mi mamá, mi hermana y mis abuelos no comen mucho.

1. ¿A qué escuela van los niños?
2. ¿Quién recoge a los niños todas las tardes?
3. ¿Dónde está la abuela cuando llegan los niños de la escuela?
4. ¿Qué prepara la abuela?
5. ¿Tienen mucha hambre los niños?
6. ¿Qué comen en la merienda?
7. ¿De qué es el sándwich?
8. ¿Qué toman en la merienda?
9. ¿Qué hacen los niños después de la merienda?
10. ¿Quién cocina por la noche?
11. ¿Qué cocina la mamá?
12. ¿Cómo son las comidas que prepara la mamá?
13. ¿Cuál es la cena favorita de la familia?
14. ¿Qué toman lo niños en la cena?
15. ¿Quiénes toman agua?
16. ¿Qué postres come la familia?
17. ¿Quiénes comen mucho?
18. ¿Quiénes no comen mucho?

Un viaje a México con Pepe

¿En qué vamos a viajar?

Vamos a viajar en...

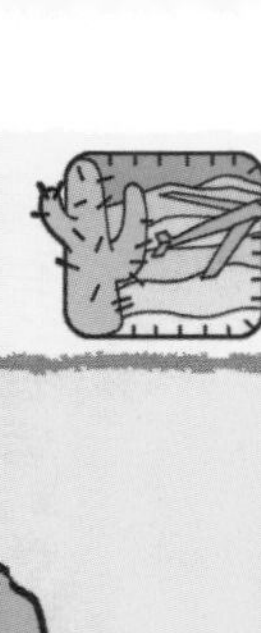

Aprendo nuevas palabras

¿Qué es? ¿Qué son?

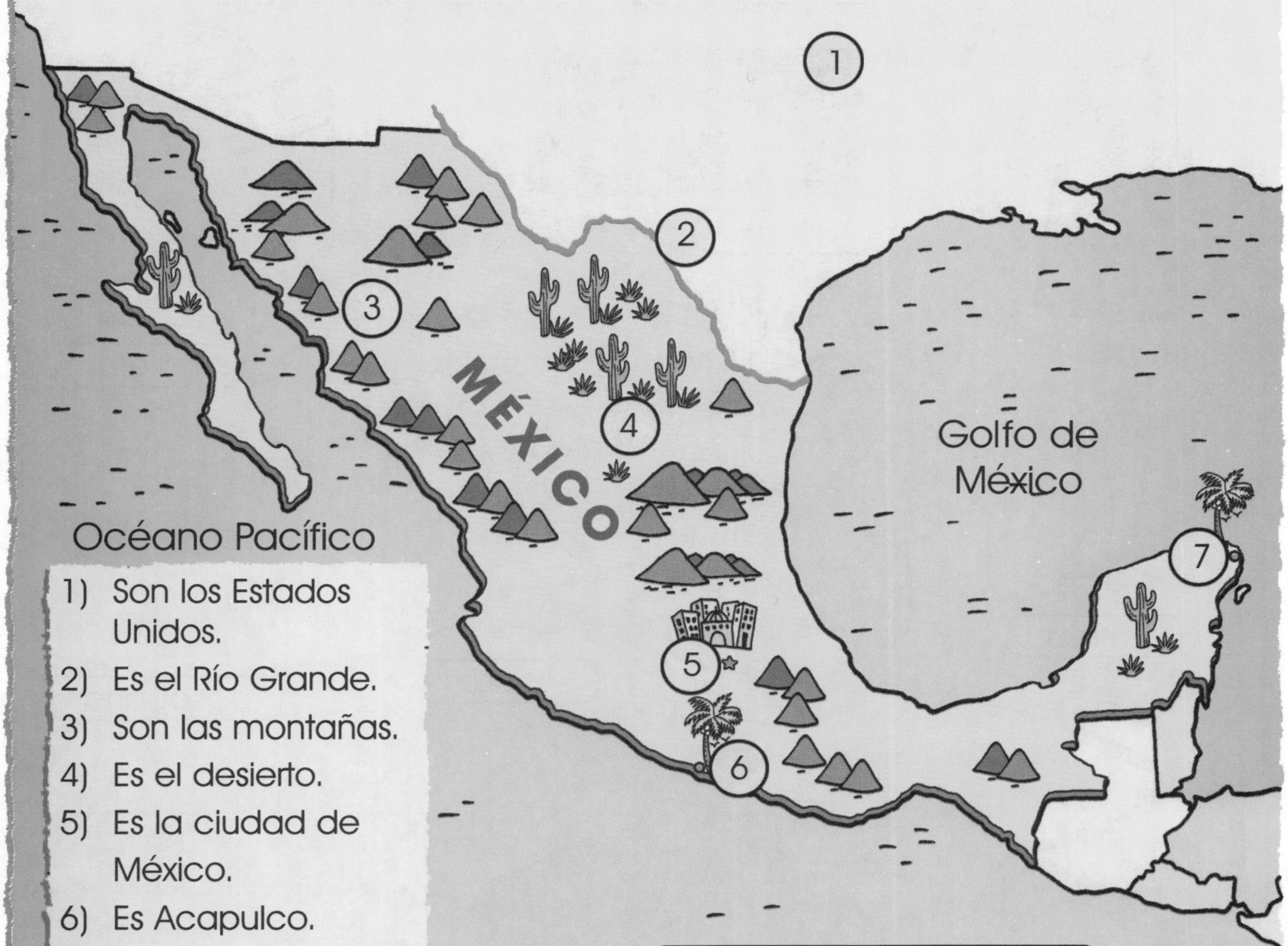

1
2
3
MÉXICO
4
Golfo de México
7
5
6
Océano Pacífico

1) Son los Estados Unidos.
2) Es el Río Grande.
3) Son las montañas.
4) Es el desierto.
5) Es la ciudad de México.
6) Es Acapulco.
7) Es Cancún.

Aprendo nuevas palabras

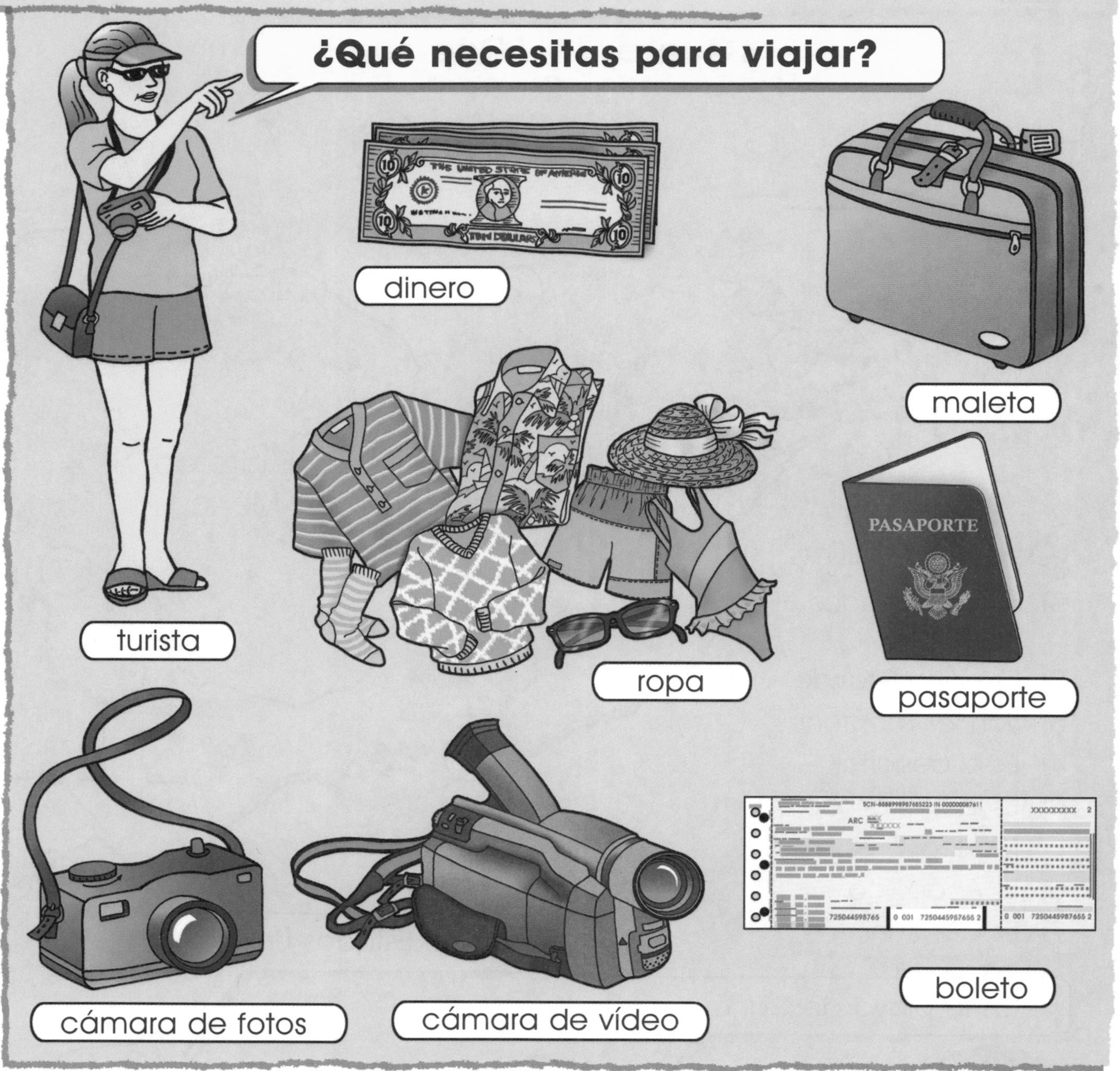

¿Qué necesitas para viajar?

dinero

maleta

turista

ropa

pasaporte

cámara de fotos

cámara de vídeo

boleto

Te gustaría saber . . . que México está situado al sur de los Estados Unidos y por ser un país cercano, los turistas americanos lo visitan con frecuencia.

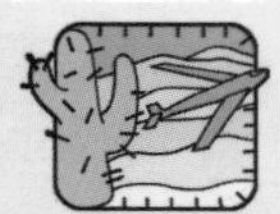

Aprendo nuevas acciones

ir

yo	v**oy**
tú	v**as**
él ella	v**a**
nosotros nosotras	v**amos**
ellos ellas	v**an**

salir

yo	sal**go**
tú	sal**es**
él ella	sal**e**
nosotros nosotras	sal**imos**
ellos ellas	sal**en**

Practica: ir

1) Yo ______ a las montañas.
2) Ellos ______ a México de visita.
3) Nosotros ______ a la playa de Acapulco.
4) Tú ______ a la ciudad en autobús.
5) Ella ______ a la capital de México.
6) Él ______ de turista a Cancún.

Practica: salir

1) Yo ______ de vacaciones el próximo mes.
2) Ella ______ del país en tren.
3) Nosotros ______ de viaje en barco.
4) Ellas ______ en el carro a visitar a su familia.
5) Tú ______ en avión para Acapulco.
6) Él ______ para Cancún a las ocho de la mañana.

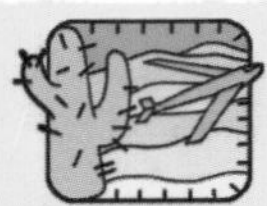

Aprendo nuevas acciones

vivir (ir)

yo	viv**o**
tú	viv**es**
él ella	viv**e**
nosotros nosotras	viv**imos**
ellos ellas	viv**en**

Practica: vivir

1) Me llamo Pepe. Yo ________ en los Estados Unidos.

2) Tú ________ en México. Eres mexicano.

3) Elena ________ en una casa grande.

4) Juan ________ cerca de la escuela.

5) Nosotros ________ frente al parque.

6) Él ________ con sus abuelos.

7) Ella ________ lejos de la playa.

8) Ellos ________ en Cancún.

9) Nosotros ________ al lado del cine.

10) Juan y Lupe ________ al norte de la ciudad.

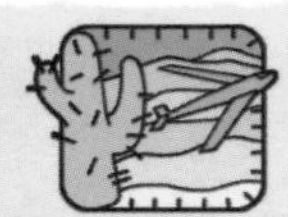

Aprendo nuevas acciones

viajar (ar)

yo	viaj**o**
tú	viaj**as**
él ella	viaj**a**
nosotros nosotras	viaj**amos**
ellos ellas	viaj**an**

llegar (ar)

yo	lleg**o**
tú	lleg**as**
él ella	lleg**a**
nosotros nosotras	lleg**amos**
ellos ellas	lleg**an**

Practica: viajar

1) Yo ____________ en tren a casa de mis primos.
2) Tú ____________ a Cancún todas las vacaciones.
3) Él ____________ con su familia a México.
4) Ella ____________ en carro por el desierto.
5) Ellos ____________ en bicicleta en el verano.
6) Nosotros ____________ a las montañas en invierno.

Practica: llegar

1) Nosotras ____________ hoy a la ciudad.
2) Ellas ____________ con sus maletas a la estación del tren.
3) Yo ____________ con mi mamá a México.
4) Tú ____________ temprano a la escuela todos los días.
5) Ellos ____________ mañana a Cancún.
6) Él ____________ a las ocho y media al aeropuerto.

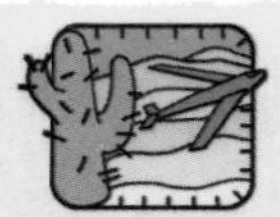

Conversemos

Diálogo 1

Arturo: ¡Hola mamá! Llegamos de la escuela. ¿Dónde estás?
Mamá: Estoy aquí en la sala mirando un mapa.
Lina: ¿Por qué miras un mapa mamá?
Mamá: Porque vamos a viajar. Tu papá está de vacaciones.
Arturo: ¿Adónde vamos mamá?
Mamá: Vamos a ir a México.
Lina: ¡Qué bueno! Vamos de vacaciones a México.
Arturo: ¿Cuándo vamos a viajar mamá?
Mamá: Vamos a viajar el sábado por la mañana.
Lina: ¿Con quién vamos de viaje?
Mamá: Vamos con tu papá y tus abuelos.
Arturo: ¿Qué necesitamos para viajar?
Mamá: Necesitamos pasaporte, maletas y el boleto para el avión.
Lina: ¿Qué llevamos en las maletas?
Mamá: Llevamos ropa de verano para el día porque hace calor y una chaqueta para por las noches porque hace frío.
Arturo: Mamá hay que llamar a los abuelos para que ellos lleven su cámara de fotos. Papá va a llevar su cámara de vídeo.

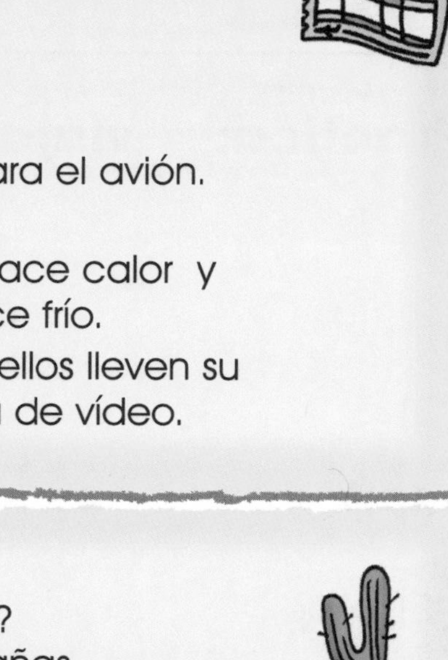

Diálogo 2

Arturo: Mamá ¿qué lugares vamos a visitar en México?
Mamá: Vamos a visitar la ciudad de México, las montañas, los desiertos y alguna de sus playas.
Lina: ¿Qué playa vamos a conocer?
Mamá: Vamos a conocer la playa de Acapulco. Mi amiga Ana dice que Acapulco es una playa muy bonita.
Arturo: Yo prefiero Cancún porque Ulises dice que la arena es muy fina y el agua es más caliente.
Papá: También en Cancún hay muchos hoteles grandes con turistas de muchos países.
Mamá: Y los mercados venden muchos objetos típicos del país.
Lina: ¿Y los mariachi papá? ¿Dónde están?
Papá: Están en la plaza. Ellos tocan allí todas las noches.
Abuela: Yo quiero ir al mercado de las flores.
Abuelo: México es un país muy bonito, tiene playas, flores y música muy alegre.
Todos: ¡Viva México!

Vamos a leer

Conociendo a México

México es un país muy interesante, donde hay montañas y desiertos. En las montañas hace mucho frío y en los desiertos hace mucho calor. La capital es la ciudad de México, y allí hace muy buen tiempo. La ciudad de México es muy bella. Tiene altos edificios y anchas avenidas. El Río Grande está entre México y los Estados Unidos. Las personas que nacen en México son mexicanos y hablan español. Van muchos turistas a México por sus playas, su música y su comida. Sus comidas típicas son los tacos, burritos, enchiladas y tortillas de maíz. Entre sus playas más famosas están Acapulco y Cancún. Los mariachi son un grupo de mexicanos que tocan la música tradicional de México que es muy alegre.

1. ¿Cómo es México?
2. ¿Qué hay en México?
3. ¿Qué tiempo hace en las montañas?
4. ¿Qué tiempo hace en los desiertos?
5. ¿Cuál es la capital de México?
6. ¿Qué tiempo hace en la capital?
7. ¿Cómo es la ciudad de México?
8. ¿Qué tiene la capital?
9. ¿Cuál es el nombre del río que está entre México y los Estados Unidos?
10. ¿Cómo se llaman las personas que nacen en México?
11. ¿Qué hablan los mexicanos?
12. ¿Por qué van muchos turistas a México?
13. ¿Cuáles son las comidas típicas de México?
14. ¿Cuáles son las playas más famosas de México?
15. ¿Quiénes son los mariachi?
16. ¿Qué música tocan los mariachi?

Vocabulario

a

b

c

d

f

g

h

i

j

l

m

n

o

p

q

r

s